Nicolás Peyceré

Las muchachas sudamericanas

Adriana Hidalgo editora

la lengua / novela

Editores:
Edgardo Russo
y Fabián Lebenglik

Diseño de interiores y tapa:
Pablo Hernández y Eduardo Stupía

© Nicolás Peyceré, 2001
© Adriana Hidalgo editora S.A., 2001
Córdoba 836 - P. 13 - Of. 1301
(1054) Buenos Aires
e-mail: ahidalgo@infovia.com.ar

ISBN: 987-9396-59-6
Hecho el depósito que indica la ley 11.723

Impreso por
Grafinor s.a. - Lamadrid 1576 - Villa Ballester,
en el mes de mayo de 2001
Ruff´s Graph Producciones - Estados Unidos 1682 3ᵐ

Impreso en Argentina
Printed in Argentina

LAS MUCHACHAS SUDAMERICANAS

CUARTEL

Una locomotora llega, negra, con el gran farol de bronce y la chimenea corta que humea, con el vientre cilíndrico donde está la caja de fuegos y la caja de humos, y con sus pistones, largueros y ruedas envueltos en el vapor caliente, ruidoso. Seguida de vagones. Entra debajo de las bóvedas de hierro y vidrio. Los estrépitos hieren los nervios. Para recibir a los viajeros se reúnen personas de todas las edades: algunos están firmes y enderezan las orejas, parecen maniquíes de madera, escudriñan los coches del tren pintados de rojo y azul. He aquí unos coches de rojo y azul. Suena una corneta. Empieza a bajar gente seca, polvorienta, unos sonríen, otros saludan con los sombreros, algunos titubean, no quieren tropezar al descender. Hay barahúnda y conversaciones aturdidas, a veces empujones y encono. Salen del último vagón tres mujeres muy jóvenes, y como nadie las espera por broma se besan entre sí.

Este día memorable, unos automóviles negros de tipo torpedo, limousine y voiturette, corren por las calles de la ciudad que está construida en el antiguo esquema. Hay una plaza del siglo pasado, tiene un muro y pastizales. Arcos de piedra defienden el frente de un edificio amarillo de mala geometría, con techos de escasa inclinación y líneas oxidadas. Es la estación de los ferrocarriles. Sobre la imagen de un grupo de casas de disposición sencilla y ventanas con parteluces, caminan unos presuntos viajeros metidos en lo suyo, pasan lentos, a veces se detienen y miran sin interés. Lejos están los árboles de copas alargadas y verdes pálidos. En una calle juegan a esconderse unos niños, mientras los observan personas inciertas. En una torre blanca de factura cuadrada hay palomas torcazas y capuchinas; cuando descienden a las veredas unos viejos amables se complacen dándoles migas de pan. Se ha detenido un largo automóvil Overland, la famosa marca.

Una locomotora inglesa que arrastraba vagones volvió a la ciudad. Hizo resonar como muchas trompetas y muchos tambores, fue una llamada o señal de estruendo, un fragor y una rechifla cuando se detuvo. Las tres muchachas que bajaron del tren ahora caminan por las recovas con talantes alegres; llevan puestos vestidos de telas flexibles de grano fino. El sol refulge en los suelos y las paredes. A la hora de la siesta María, Modesta y Honorata van hacia el cuartel de caballería. Ellas son las terneras, las serpientes, la sutileza, los alfileres, las olorosas de piernas ágiles. Recorren los lugares sueltas, de tanto en tanto entrelazan los brazos. Pasan delante de las casas abiertas, de patios sombreados y jardines que tienen fuentes y cráteras. Ven las paredes encaladas, los ornamentos ingenuos en arcos y puertas. Ven las azoteas y sus monigotes, y entre los tejados inclinados unas cúpulas cubiertas de placas de cobre. Pasan las calles trazadas con defectos; por allí caminan como excéntricos y pomposos, un cazador, un escalador de montaña, unos arrieros, unos vendedores extraños. Hay perros flacos ocres que duermen amontonados. Las tres van hacia los edificios militares de cemento gris. Van hasta una puerta menor donde hay un soldado guardia, solitario, en posición entre hojas metálicas. Ellas se dicen entre sí unas frases: "Éste parece un niño en la buhardilla, haremos de él un conejo sorprendido, es un fabulista al lado de extrañas fatalidades, le daremos explicaciones nuevas, estados de alma, sueños dorados, le daremos una caja de abundancia y una ceguedad, sensaciones de hallarse ante vallados inmóviles, en la silenciosa rada, debajo de ombúes amplios, en la monotonía de una pampa. Eso haremos".

Descomposición de un paisaje con casas: arquitecturas de estilo no rigorista. Ciudad que tiene su línea de cumbres, macizos, desfiladeros. Entonces hay maneras de verla, porque no es habitual nuestra ciudad. Hay casas raras con calados profundos, columnas de fustes irregulares, estructuras arborescentes y la cerámica enriqueciendo pavimentos y zócalos, de diseño de lazo, de polígonos estrellados y colores, blanco, negro, celeste, y en pocas ocasiones, amarillo. Desde una ventana, como cuando hay un maizal debajo recorrido por vientos diferentes, se ven ramas de palmeras entre las casas, y ramas de magnolios, pero también fachadas limpias, fachadas llenas de rasguños, frentes de contorsiones, detalles de la realidad en todos los tamaños. A veces qué pantomimas e indecencias, qué conjunto finito de materiales, de herraduras complejas, de lóbulos, conchas y motivos florales o epigráficos. Es una perspectiva urbana atravesada por mujeres de faldas tornasoladas, por trabajadores que suben a tocar un parapeto y grupos de hombres que se cruzan. Pero la ciudad desaparecería si avanzaran las sombras del anochecer. Paso a paso. Como si varios amantes se apoderasen de una robusta mujer, y uno se apropiara de la boca, uno del vientre, uno de los muslos. Afuera están los bajos caseríos oscuros. Ocupa el ángulo superior izquierdo una aldea refugiada en la cal y en piedras de montaña. En un sendero mujeres descalzas prorrumpen en gritos.

Descomposición de un paisaje con un cuartel gris. Larga verja de lanzas y adornos curvos ha de separar la ciudad de los establecimientos militares. Lo siguiente se observa en el área sur: un espacioso peristilo que precede al pabellón recto para alojamiento de oficiales y sargentos. Un pabellón menor para las ceremonias y recuerdos. Otro para la cartuchería y el polvorín. Acumulación de garitas, cobertizos con carruajes y caballerizas. Multitud de caballos y mulas. Depósitos y cocinas. No faltan los techos pizarrosos ni las altas chimeneas. Las fachadas son planas, sobrias, muy extensas. Cada construcción echa sombra sobre otra, el conjunto es en definitiva hosco. Hay pocas torres almenadas salientes. Un parque lateral grande tiene vegetales raros. Hacia las zonas posteriores, en el área norte formada por barracas, hay un campo de tiro. Se precipita el confín. Un terreno arcilloso facilita la salida de las aguas de lluvia. Se ven máquinas de guerra en fila, terraplenes y sendas donde están las baterías. Todavía lejos hay un ancho panorama de colinas culebras, brillantes y opacas. Los establecimientos militares son una mancha excesiva, herrumbrosa, muy salpicada por enrejados, alambrados, plataformas, cañerías y casillas puntiagudas. Inútilmente trata de mejorar esto la estatua de un hombre grueso, espada en mano, sobre un pedestal conciso.

Escenas de la vida militar en el parque último. Se ve un artillero con prismáticos de campaña, soldados jóvenes de bigote forman un grupo a un costado haciendo pura práctica. En una loma de regular trazo curvo hay cañones bruñidos al lado de estacas clavadas en la tierra. En el recorrido de la mirada aparece la caballería tomando posiciones. Un ayudante de órdenes, morrión con plumaje, está rodeado de niños desharrapados que lo miran o percuten tambores; hay baquetas en el suelo. Distantes hay mujeres opacadas. En el primer plano está un oficial áspero y rígido, llamado Teodoro

Tiro. Lleva la gorra bien colocada, el centro de la visera coincide con la línea de la nariz prominente. Su cara es la de alguien adverso a los desmanes, tiene las comisuras de los labios descendidas. Hombre conforme en la ejecución de sus funciones. Bien engreído, de tal soberbia que juzga, por ejemplo, que las mujeres no deben tocarlo. Echa afuera sus piernas algo cortas, pasea sus reflexiones contra la deslealtad, también su ensoñar sobre, enjambre de gauchos guerreros, enjambre de balas redondas, pabellones que ondean, brazos musculosos, capitanes declamadores, el ruido de pedradas, de ruedas. Pues esa es su idea de paisaje.

En la calle principal un automóvil Overland patinó. ¿Alguien está en peligro? Se han detenido desmañadas la rubia Modesta, la esbelta María Ilíaca y la negra Honorata Pelagia; sus pupilas observan alternativamente y en desorden, mueven el cuello de acá para allá. En el apeadero la locomotora inglesa y los vagones de dos colores se enfrían debajo de las espaciosas naves de bóvedas a la catalana y de los tímpanos de hierro azules, al lado de columnas con chaflanes amarillos. Por algunas claraboyas salen caras. Cae sol chorreando de los aleros. Ahora ellas ven las dos puertas grandes del cuartel, la Correosa y la Sarmentosa, con sus aceros claveteados, los barnices y los huecos protectores debajo de unos cornisamentos. Ven las ventanas estrechas cubiertas de rejas, las paredes sucias de granos de hollín, los techos muy rectos con humeros tiesos y el escudo que corona la fachada central con un león esculpido que figura envuelto en llamas. Se despiertan ruidos, gritos destemplados, voces guturales, martillazos, el grosero taconear de las botas. Las mujeres jóvenes siguen moviendo el cuello, inquietas por esas curiosidades.

Lo que dice Honorata Pelagia: "Antes veníamos llevando atados raídos y nos parecíamos todos a traperos, así los niños como las niñas. Comiendo higos y pan solíamos llegar hasta las rejas de los militares, para admirar y estirarnos y mejor trepar, cuchichear. Después íbamos prudentes, piernas rápidas, de vuelta a las casas para seguir imaginando. Desde entonces sé de los atajos a subir, de lugares sombreados en verano, lo que se camina para alcanzar la calle de Empedrado. En aquel lado está oculta la puerta pequeña, hundida, donde se halla el soldado de guardia solo, un atosigado por el uniforme, que tiene ya los ojos de sueño". La prieta para tomar aliento pone las manos en el vientre, observa y enseguida se dirige a las compañeras. "Mírenlo, delgado de anteojos, con el desgano de su paseo por adoquines; cuánto habrá remirado el suelo y qué figuras secas habrá supuesto allí. Ansiará lo nuevo, porque él es igual a una tierra árida que desea el agua. En el punto de aparecer nosotras, nos verá azafranadas por el sol, pero a poco que se dé sombra con una mano sobre las cejas le surgirán los tonos precisos de nuestros pelos, mejillas y blusas. Seamos unas implacables. Vayamos semejantes a

13

hechiceras arrimadas, o locas, para hacerle escamoteos con raras miradas y unas murmuraciones".

María Ilíaca, de voz oscura, dice: "Sí, y llegará a él nuestro olor de relamidas y limpísimas. Será casi un caballo atravesado. Es delgado de anteojos redondos, si nos mira lo atravesamos de parte a parte, más si escucha nuestras palabras dulces como de panal. ¡Qué indefenso de largo fusil y ademanes torpes!, se adivina cómo cree que mata el aire; aunque, debe ser tan amable de tenerlo, cantarle la estrofa, adormecerlo entre los brazos, guardarlo blando, aniñado. Aunque sí va a resbalar tumbado, abatido por sueños apenas le toquemos las orejas, porque venimos a ser las mejores flecheras. Y le narraremos el antiguo cuento del hilo de sombra, entonces empezará a marchitarse. Sospecho el modo del sueño de alojarse en su espalda, de enternecerlo con dedos entre sus rulos. ¡Oh! Este soldado ingenuo sigue pensando solitario en teorías, rozando unas paredes con juegos de sus pies, así es cierto que representa sin énfasis el paso del guardián con armas, y es de un ceño tan poco adusto que es un ceño de adolescente".

El soldado de guardia en la puerta pequeña, mira a través de sus anteojos, con fijeza, a María Ilíaca. Ella habla: "Te cuento este cuento, soldado soldado. Una vez había un hilo de sombra, que transcurría muy fino desde los zapatos de un quieto guardia hacia los bordes de unos adoquines. Iba primero tan fino como un cabello y luego fino como un bigote fino; pero luego menos fino a medida que se alejaba entre las piedras, persiguiendo la acera y quizá subiendo por ella, y luego acaso iba más grueso, parecido a una cinta entre ventanas, igual a filacterias en los muros, a láminas negras en los aleros; y se ponía ancho vistiendo las chimeneas, haciendo pardas las cúpulas y borrando los gatos movedizos y las gárgolas inmóviles. Como el guardia no entendía qué cosa es un hilo de sombra, como no sabía de los cuidados extremos que hay que tener en tales asuntos, del esmero que se debe poner en el disimulo de la curiosidad, como se sentía casi irritado por el hilo plácido, cuya misma nimiedad le resultaba tan estúpida como insolente, lo tomó con delicadeza entre el pulgar y el índice de su mano derecha y empezó a tirar levemente de él. No sintió murmullos ni susurros. Al principio todo conservaba una fresca luminosidad, los pedruscos los brillos, las verjas los lustres, los vidrios los reflejos, las paredes una pulida cal, las cornisas unas vibrantes ondulaciones y también el cielo los esmaltados azules. Mas luego se fue llenando su mano de una cuerda negra, cada vez más gruesa y dócil. Él tiraba imbuido por unas voces o ideas, nada en su ánimo hacía resistencia a ese fácil tironear; pero así un mundo se esfumaba, semejante al ir desapareciendo de los actores y las insignias, de los árboles de cartón y las casas figuradas en un escenario cuando se corre el telón. Parecía que un cóndor negro había crecido tanto que ocultaba el cielo, infinidad de

15

ciegos murciélagos aleteaban en los techos, unas pizarras se aplicaban sobre los pilares, cortinas negras cubrían las ventanas, la brea enlodaba las calles. Él mismo vio sus uñas negras, y deseó inclinarse sobre un talud, abrazándose a un fusil negrísimo".

El soldado de guardia de la puerta pequeña sigue mirando a través de sus anteojos a María Ilíaca, Entonces Honorata Pelagia avanza y habla con voz muy apagada: "Soldado, casi ves el cielo negro, cielo que es cubierto de un suave y serenísimo negro; ves oscurecidos los brazos largos de la muchacha, que los ha cruzado. En la noche las luciérnagas no serán grandes temerosas, empequeñecen, vienen a ser puntos inapreciables en las rejas. Mira los brazos de ella, son terciopelos. Las piedras están apacibles y lo están los remansos que imaginas. Mi amiga espera atrás, ha cubierto los cabellos con una pañoleta opaca. La tiesa, la leve. Una sombra rueda. En cercanías de tus pies hay círculos, orlas, estrías, cauces de lo oscuro. Y la muchacha fija, entre pinceladas, no suspira. Tus párpados se cierran, tus ojos que fueron taciturnos ahora están poseídos. Los enrejados están reposados, redondos. Los brazos aterciopelados de ella están cruzados. Tus pies se alargan entre las piedras, lo sombreado extiende y confunde tu primera interpretación, pone la neblina en los bordes. No dispones de reparos, así no conoces tus cercanías y cansado sientes un porvenir en los adoquines, en líneas, repujados.

Miras derechamente por lo más conocido, pero pierdes la diferencia de las blanduras entre tus dedos ya turbios y las vagas verjas. Y la difusión de las estatuas en los reflejos. Mientras desfalleces en la línea inclinada".

Adormecimiento del soldado sobre un plano inclinado, mientras se acercan oblicuamente las tres mujeres muy jóvenes y se siente el frufrú de sus faldas largas, y el rumor de sus sandalias. El ya no vigilante soldado, de aspecto modesto, de cabello rizado y moreno, de unos anteojos chicos empañados, pesado resbala hasta quedar tendido al pie del bello talud cubierto de césped. Mayor inmovilidad. Suave dormir, reteniendo su fusil Chassepot largo; la cara apoyada en una mano. Pasaje de las muchachas al costado como exhalaciones. La entrada de ellas se hace por la discreta puerta monocroma de la parte sur. Puerta que no tiene nombre. La brisa mueve por igual los cabellos del soldado que sueña y los vestidos de las mujeres.

Primer sueño del soldado. Echado, un pómulo apoya en una mano, a la manera de los viejos profetas en los tímpanos de las iglesias. "En un país hay niños mendicantes, ángeles y tañedores de flauta, encanta verlos, la alegría es desbordante, embriaga; ¿habrá algo más bello que lo que ha de suceder?, no se sabe lo que ha de suceder. Uno mismo está apresurado en buscar lo que evita la embriaguez, buscar en la alforja, en derredor, en los suelos, el anillo de cola de lagarto o el de amatista. ¿Hay algo mejor que la transformación de los lugares? Quien ha venido no sé quién es, pero a mi lado está, su presencia es un ligero viento cálido, porque es una dama, una Atenea de ojos almendrados y lleva puesto el casco dorado con cresta de estaño. Ella se abanica, pues sus intenciones son dudosas. Podría engañar con gritos. Lejos se van potros salvajes, caballos rápidos de color de alazán, pumas rápidos. El campo se limpia. El cielo despejado, cuando aparece la copa con guirnaldas, que luego es una vasija con aplicaciones de relieve, que luego es un ánfora y enseguida es una bala oblonga, un proyectil de muchas libras de peso apoyado en un bastidor."

"En un país los niños mendicantes, colmenas de ángeles, pero entonces asido al fusil espantador, ve a quienes pueden ser Ateneas muy escondidas en la parte alta de sombra lo que sobrevino en el anochecer cuando se fueron potros caballos de color de alazán y las alas abriéndose para lanzarse, simulando mujeres como niñas, pero ávidas aves, aun la familia de pumas, y se velan ellas se eclipsan en el campo de mosaicos donde hay copas o vasijas, cuando uno cree que cosas hermosas sucederán, no sabe porque están las encubiertas ve-

18

nidas para ceremonias, ánforas ovoideas sobre el piso, idos en ese tiempo los animales, ellas con casco de cresta miran espléndidas provistas de atracción, ellas que se abanican lo cual hace a sus intenciones no sinceras, y barruntos, suspicacia para buscar el anillo que protege mezclado con la tonalidad de los mosaicos y hallaría el anillo de amatistas el que hace irse, pero ellas vienen desde el lugar sombreado."

Segundo sueño del soldado, quien dejó desguarnecida la puerta secundaria sin nombre. "Había una vez un soldado solo de caballería que iba de lugar a lugar montado en un caballo viejo color de nieve sucia. Andaba por pedregales donde el trotador resbalaba. Llevaba el uniforme caqui, negros los botones y botas, estribos y espuelas de plata, la carabina en la carabinera apoyada contra el anca del animal, y dos pistolas cruzadas en el arzón alto. Después iban lentos, jinete y jaca, eran igual que nubes del día, iban entre canteros vecinos a las casas, donde había hombres y mujeres de sombrero de mimbre. Entonces unos dijeron, viene a pedir pan, otros, viene a robar mujeres. Y unas le miraban la visera de la gorra echada sobre la nariz y otras la carabina apoyada. Notaron también la mano anaranjada del soldado acariciando el pescuezo largo del caballo blanco; abajo colgaban las riendas. Dijeron los hombres: puede tener un palo rugoso escondido, como una clava que él maneja diestro y la hace piruetear en el aire y no se sabe en qué momento la abalanzará sobre alguno.

Dijeron, y pusieron tres vigilantes con yelmo de punta y cubrenuca, pusieron cuatro con culebrinas que producían humo, pusieron cinco sargentos de bigote delgado e ironía en la boca llevando fusiles de aguja, pusieron seis sargentos de mirada centelleante, bigote y mosca llevando ametralladoras de trípode, pusieron siete más que tenían planos y direcciones y cada uno apuntaba con el índice y producían un viento por sus gestos recios; y pusieron ocho soldaderas de faldas flojas desmelenándose, pusieron nueve más de faldas flojas y pies desnudos para atraerlo. Pero hubo confusión, el humo de las culebrinas ocultó la vista, los trípodes cayeron, las de pies desnudos patearon a las desmelenadas, y no se vio que el soldado solo de caballo blanco se escabullía detrás de una loma, rumbo a un río."

En la galería de estampas y medallones del cuartel gris. Se hallan las tres mujeres muy jóvenes con sus vestidos amplios y frescos y sus collares de plata de gruesos eslabones, sus aros, sus pulseras de preciosas maderas. Cumplidos los pasos por corredores desprovistos de guardias, se hacen señas con las manos, los instintos se han agudizado. Sus impaciencias son momentos cortos, ahora se abandonan al ambiente, a lo acentuado, admiten las sensaciones. En la galería el aire parece ondular poco luminoso, pero se irisa por el reflejo de los vidrios. Durante algún tiempo es cómplice de la luz un insecto vivaz. Hacen una inspección, las sigilosas, sobre las elevadas paredes que tienen ventanas flacas, sobre las molduras del cielo raso y los capiteles de las escasas columnas, a los sillones de gusto estragado, a unos jarrones decorados en las asas y golletes y a seis panoplias ostentosas que contienen lanzas arrojadizas, espadas de bronce rectas, espadas falcadas y puñales damasquinados. Pero ellas se detienen en las estampas. Apresurémonos a describir las estampas.

Mirada sobre las estampas. El primer grabado, que firma Cosson Smeeton, representa una escena después del combate sostenido entre coloniales franceses y hombres argelinos en Dar-ben-Abdallah. Momento en que el cuerpo del morabito Sheriff Si-Lazereg-bel-Hadj, muerto en la pelea, es recogido por dos jinetes árabes sin descender de sus cabalgaduras. Están dibujadas nubes que entenebrecen y relámpagos ramificados. Hay agitación en las ropas de los nerviosos jinetes, el morabito tiene los ojos cerrados, su figura es blanca y estirada; están en un ámbito algo iluminado, pero abajo el campo es oscuro, lejos se distingue una alquería. El segundo grabado muestra la entrada en la guarnición de Versailles de un grupo de sargentos condecorados, pertenecientes a la primera batería de un regimiento francés de artillería montada. El dibujo es de mucha corrección, se ven los militares de uniformes duros que tienen apenas una birretina, el de adelante porta algo así como el anguis de la cohorte romana, una insignia con una serpiente falsa, los demás tienen banderas y banderines y arrastran dos pequeños cañones. Todo arrebatado en combate a los naturales mexicanos. La tercera estampa de color verdoso se refiere a la toma del fuerte Orakan por la tropa británica. Está representado el momento en que cuatrocientos salvajes maoríes se precipitan fuera del fuerte en huida hacia los pantanos. A la izquierda se ven todavía escenas del combate. Un grupo de soldados está colocando en una torre de troncos la bandera de la Union Jack. A la derecha y en primer plano hay negros semidesnudos internándose en una zona de arbustos y cenagosa. La cuarta estampa muestra el blancuzco fuerte Boyard rodeado de un cielo tempestuoso y de un mar turbulento; algunas rocas cortantes emergen de las olas. Al pie hay una nota que dice: Lugar de detención de insurrectos para sufrir penas por su participación en los sucesos de la Comuna de París.

Se sigue en la galería de estampas y medallones del cuartel gris. Descripción del quinto grabado: representa la conducción del cadáver del bandido Nicolás Jordán en un burro y rodeado de gendarmes. A los costados se ven palmeras, en el centro hay campesinos que se han quitado los sombreros observando con recogimiento la procesión de hombres armados. La sexta estampa muestra un lavadero de diamantes con esclavos. Es una litografía de la narración del viaje al Brasil del rey Maximiliano José de Baviera entre los años 1817 y 1820. Se ven montañas agrestes, un arroyo donde están los negros lavadores agachados, un hombre erguido que tiene un látigo y una casucha al lado de plantas tropicales. La séptima estampa es el retrato del señor Cox, viajero de las pampas, acompañado de un jinete indígena. Detrás de los personajes se distingue un paisaje formado por el lago violeta Nahuel-Huapi, los amarillos terrenos y un río llamado Limayleulu, río de las sanguijuelas; esto se sabe por la reseña colocada debajo de la lámina. La octava estampa, es hermosa aunque está algo despintada, presenta un caballo cuidadosamente dibujado por uno de los animalistas más notables de Inglaterra, el idiota de Earswood.

Las mujeres continúan recorriendo la galería de estampas y medallones. Son atraídas por un cuadro pintado al óleo con predominio de tonos pardos y castaños, que representa la toma de Montevideo por los batallones británicos a las órdenes de Lord Auchmuty. Resaltan en la opaca negrura del cielo los brillos fortuitos de los relámpagos, se ven hileras de soldados con bandas blancas cruzadas en el pecho y los cañones que hacen tronar, y además los primeros callejones de la ciudad. A continuación se encuentran con el retrato de su alteza Maharao Rajá Sir Raghukir Singhji Bahadur, de Bundi; hombre de cara morena y sonrisa de ídolo, premiado por su colaboración en las tareas coloniales. Finalmente ellas observan los grandes medallones ovalados. Son muchos, pero la variedad de los temas es poca, resulta fácil cansarse de mirar-

los, algunos pasan el tamaño de tres codos, suelen ser dague-
rrotipos que tienen marcos de cedro labrados; son figuras de
cuerpo entero, o solamente caras y bustos de militares distin-
guidos en las guerras contra los independentistas. Hay jefes
de abundantes barbas y severidad, siempre están ceñudos.

Mujeres en otra estancia, iluminada a medias durante la
siesta, que tiene losanges de oscuridad y frialdad que no son
los corrientes. Ellas muestran caras compaginadas para este
episodio. En las paredes hay láminas indescifrables que por
lo descoloridas van bien con los terciopelos gastados de muchos sillones. Un rato retumba un ejército de carretillas que
pasa sobre los adoquines de afuera. Pero enseguida vuelven el
silencio y las presunciones, y el susurrar de los vestidos. Los
gestos análogos de las mujeres parecen exagerados y gracio-
sos. Honorata Pelagia acaricia una grande y acendrada bala
cilindrocónica. Enseguida las acompañantas hacen otro tanto. Están rodeadas de muchos antiguos cañones, de tubos
concéntricos, de bastidores fuertes.

En la galería de cañones y balas del cuartel gris, se hallan las
tres mujeres muy jóvenes, de vestidos amplios y frescos y collares de plata de gruesos eslabones, con aros y pulseras de pre-

ciosas maderas. Se ven piezas de artillería muy alineadas y equilibradas. Son para la defensa de la Nación. Resaltan: un cañón Álvarez Sotomayor de acero fundido, un cañón Ames de hierro forjado proveniente del arsenal de Pernambuco, un cañón bombero inventado por el señor Paixhane, que es una gran masa de hierro para disparar horizontalmente, por eso destinado al artillado de costas, y un cañón francés Reffye de bronce y retrocarga. Acompañan a estas piezas balas oblongas paradas, sólidas y huecas, de metralla o Schrapnell de diversos tamaños, desde como un codo hasta como un hombre. Por las paredes cuelgan instrumentos discretos. Huele a vaselinas y aceites. Las muchachas rodean un proyectil del cañón Armstrong, que es una bella y alta bala, se destaca, reluce entre las otras, tiene delicada curva y collarín con estrías.

Pensamientos de María Ilíaca en el lugar: "Ni se oyen voces provenientes de los patios, en la siesta el silencio se renueva. Desconfiadas nos estiramos, nos desplazamos, luego damos saltos por las baldosas, ¿las tres alborotadas? Caminamos entre juguetes militares, al lado de ventanas cándidas, en la sala de las fiestas y la artillería y las balas, cosas de mucha apariencia, símbolos del mundo cerrado, donde harán de las suyas unos invisibles ágiles hombres duendes. ¿Quién prohíbe el imaginar? Nosotras somos como las novias floreadas, Honorata tibia, Modesta tibia y blanca, yo que giro, pero sin saberes, aisladas en el sitio ajeno y ahora nos estremecemos, a poco empiezan a temblarnos las manos, luego será el cuerpo, las piernas. Nos miramos muchas veces a los ojos con la alegre maldad de las mujeres, sonreímos, acaso por ciertas angustias. Y nos escurrimos igual que entramos. Iremos apresuradas más allá de los pabellones que tienen veleta de gallo, hacia los jardines laterales para ver las plantas raras y acercarnos a los soldados. Por un arte de alcanzar con la vista".

Una piedra rodó por el patio empujada por un viento de flechas; los árboles golpearon las paredes, los árboles se agitaron con más furia que en un vendaval. Las ventanas desasidas de sus marcos salieron impetuosamente, cayeron y arrastraron los ladrillos y envolvente polvo. Se desprendían unos muros en zozobra. Se oyeron estruendos contestándose, duplicados, acompasados a los temblores de los pisos, y se oían estruendos más lejanos, ecos disonantes. Fuegos instantáneos aparecían por los edificios, corría el fuego en las cañerías, crujían y se abrían los techos. Despegados volaron pedazos de colores. Entonces el cielo fue violeta, índigo, lila, verde, fue una cara brusca pintarrajeada.

Recolección de frases sobre explosiones inesperadas y extrañas: Desarrollo de una masa de gas en un espacio. Accidente grave que puede tener funestas consecuencias. Acción de quebrarse, saltar en pedazos un cuerpo, arrojar resplandores. Llegó a ser tan intenso que el aire dilatado producía corrientes concéntricas. Las casas desaparecían una tras otra. La dependencia se vio amenazada. Sufre una lluvia de fuego. Hombres luchando en vano contra restos inflamados. La sala de la artillería, la sala de los cuadros y el arte militar, todo arrasado. Como por encanto se derretía por el fuego. Los destrozos a mucha distancia. Dejado en esqueleto el palacio, enrojecido o ennegrecido ese esqueleto refleja la grandeza. No obstante su ruina, respetuosa tristeza. El minutero se paró como si a esa hora. Entre las brechas se descubre el horizonte. Cierto aire monumental, aspecto rodeado. Una espantosa desgracia causada por la malevolencia. Los pormenores sobre el siniestro, que trae el correo, son horrorosos. Esta ruina es un poema de lágrimas. Escribir páginas dramáticas, de un interés vivísimo y acaso una enseñanza servicial.

Vista de los establecimientos militares durante las explosiones fortísimas. Observación del incremento súbito de una cúpula de fuego en el pabellón de cañones y balas seguido por detonaciones terribles. En la cartuchería se produce un intenso fuego de pelotón. Esos edificios parecen cráteres arrojando materias fragmentarias. Se expanden vientos tórridos, inician torbellinos que llevan piedras al rojo vivo. Desde lejos el gran fuego se asemeja al demonio engullendo; tiene la cabeza parecida a un huevo áulico rodeado de una espesa cabellera azul, que tapa al sol, y viste rico mandil resplandeciente de escarlatas y amarillos, y se contonea con violencia, manosea las ventanas con dedos de corales arborescentes, desprende a los costados horribles pies de agujas. Cabalga acompañado de los estallidos y estrépitos. Mientras paredes y columnas son fardos violáceos que se derrumban. Mientras fuegos de ocultos surtidores dibujan figuras arrugadas precipitándose, aves frenéticas. Hasta en los apartados jardines hay relumbres truculentos. Hay gente arrastrándose de rodillas y tienen la cara de cera. Los animales de los establos rechinan los dientes y raspan la tierra con sus patas. Las tres mujeres muy jóvenes se acuclillan en el césped del parque lateral. Tienen los rostros igual que llenos de cosméticos y el pelo les brilla como latones.

Vista del crecimiento de una mugre en el aire. Hay núcleos de humo muy oscuro y espeso, como lava pastosa. Hay humos arracimados con rayado convergente. Hay trenzas de humo color verde siniestro, muy altas. Hay humos remisos y celestes inclinados hacia los suelos, o deslizados por los jardines en grandes manchas. Los humos que están expandidos en el cielo crean un pavimento de relieves, agrietamientos y figuras: aspecto de oreja de elefante, aspecto de vieja con acentuado gesto de inclinación, aspecto de bisonte revolviéndose para acechar, aspecto de palomas de plomo. Abajo, humos como membranas envuelven los cuerpos de edificios que se desploman. Los incendios iluminan y ensombrecen alternativamente la calle de Empedrado.

Más observaciones acerca de la explosión del pabellón de cañones y balas, de la cartuchería y de la destrucción de cuarteles aledaños. En la humareda vuelan hombres enteros o con tajos en el pecho, o en pedazos; vuelan troncos humanos dejando manar adelgazados chorros rojos, y cabezas libres, sus labios apretados, hasta con gorras. Vuelan vigas, mampostería y unas puertas arrancadas de cuajo. Hay cañones desprendidos de los soportes y cureñas rotas. Se dispersa la metralla. En una lanza del extenso enrejado hay pinchado un hombre, donde están unos canteros largos con malváceas y predominio de flores encarnadas. En la entrada principal tirado deshecho está el escudo del león rampante. Se ven hundidos unos cobertizos, torres cuadrangulares inclinadas, portones formidables rotos, hay profundas cortaduras en los muros que ennegrecidos aún se tienen de pie; por allí y por las vidrieras hechas añicos pasan ventoleras calientes.

Gente y caballos huyendo, y mujeres que miran. Las tres muchachas sentadas sobre la hierba aprietan las rodillas, sus ojos revuelven todo. No muy lejos invaden un declive del campo animales vertiginosos que escapan de las caballerizas; unos son caballos de tiro, de cuello corto, piel y piernas gruesas; otros son de silla, tienen cuellos largos y las piernas enjutas y nerviosas; otros, finalmente, son esos caballos capones de mucho dormir. Por los relumbres y oscuridades bastantes parecen tordillos, pero algunos se ven dorados como ascuas. Relinchan a menudo y muestran los dientes como si rieran. Los que llegan a una hondonada meten las narices en el agua de charcos. También se ve correr hasta el límite de sus fuerzas a unos hombres de ropas astrosas, se desperdigan entre las construcciones todavía intactas o se apresuran hasta explanadas y por la pendiente adonde van los caballos. Tienen fisonomías desconocidas, ojos saltones, las bocas abiertas son óvalos negros. Algunos se apartan de la línea recta, vuelven por zonas de aire enturbiado; perdidos sin aliento ruedan. Se acrecientan los males. La muchacha prieta tiene puesta una mano sobre su esternón.

Los fuegos son espumas que aparecen, se retraen, se lanzan. En los árboles hay espejeos; a veces tienen aspecto de cobre los troncos y las ramas cruzadas entre los humos rápidos. Así ven ellas los incendios y se alejan con aprensiones, torciéndose, parpadeando. La espantosa humareda ha progresado tanto que ocasiona una noche prematura de truenos y sacudimientos. Ellas están sobre el cuidado césped entre graciosas plantas, inquietas mueven sus collares de plata de gruesos eslabones, sus aros, sus pulseras de preciosas maderas, y los vestidos ahora tienen aspectos metálicos. Vientos de encontradas direcciones agitan sus faldas. Están al lado de unos cactos altos y lucen como lindas mujeres sensuales de carnes palpitantes. Un tapir pardo, crin corta y cerdosa, sale de un lugar de espesura y corre hacia otra espesura.

Los pensamientos de María Ilíaca: "Vamos del brazo hacia los grandes helechos que el viento mece como a nuestras románticas muselinas. Honorata es de boca dulce, y cenagosa su boca es de círculos húmedos, me detengo a mirarla, yo, Iliquita de voz oscura, emocionada. Y tomo de la cintura a la lenta Modesta, hasta tocarle una mama y entonces entorna los ojos para mí. Los resplandores hacen su pelo rojizo. Aunque vamos sin mucho embadurno, la negra tiene los labios con bermellón y tiene virutas teñidas en el cuello y frutillas en los dedos; también yo voy de colores, copia del color del aire. Se agrava mi sed que será semejante a la de ellas. Cúmulos en mi cabeza, ¿nos estarán vigilando?, ¿creerán que somos muchachas águilas y por eso nos cazarán en agujeros de piedra? Sí que andamos perplejas, hay que apartarse lo más posible de esas cintas de hierro, esas retorcidas, y de las humaredas con olor a pesados cerdos, o con olores a caballos o a hombres. Atrás lo destruido forma esculturas locas. Nosotras estamos sedientas y embargadas. La negra me toca, me atrae y besa mi oreja para decir, ¡Quietísima! Y nos quedaríamos así, rodeadas del viento insensato, de los estruendos y de los murmullos. Miro los ojos hondos de Honorata, bordeados de azules, y los ojos zarcos de Modesta. Nos miramos para preguntarnos, en tanto el parque se llena de figuras recortadas".

"Tienen las bocas llenas de harina." Esto oyeron decir a una de las mujeres. Y a otra, "Dame tus aros y los cautivaré". Y la tercera se quitaba los aros. Entonces, los que oían, eran soldados agrupados y un oficial salidos de la espesura. Ahora, esos hombres se hallan de pie en la parte descubierta del parque y rodean a las muchachas. Pero también, donde los vegetales son compactos, se ven otros soldados, como simples gorras, o gorras y cabezas, y aun medios cuerpos. Los agrupados llevan capotes largos cuyos pliegues están marcados por rayas rectas. El que los manda, sin capote, muestra su casaca cruzada por correas gruesas, el pantalón de ante ajustado y las botas que son acordeones hasta la mitad de las cañas. María Ilíaca conjetura acerca de a qué se parecen los de la cuadrilla, los parados tiesos sobre la hierba y los agazapados, se dice: "Ellos son onocentauros, acaso hombres asnos, eso por una pelambre de las ropas, por las gorras sin visera, y además porque chocan entre sí, se empujan, son de alma lerda y ambigua; no se pueden aferrar sus caras, como si no fueran". Lejos está la marejada oscura. Todavía ellas avanzan describiendo pasos breves, parecen ondular, las telas que cubren sus piernas forman colas que flamean, tienen los cabellos igual que untados, los párpados azul turquí e irisaciones en los brazos desnudos y en las manos abiertas sobre los escotes.

Las muchachas están rodeadas por los cuerpos con cinturones hebillados. Perdidas entre presentimientos, las señales no son propicias. Los soldados esperan antes de estirar las piernas, iguales a santos sobre repisas. A causa de los fuegos luminosos la casaca del oficial luce esplendorosa. Gestos de firmeza tiene en los brazos, los músculos le ponen tensas las mangas. Tal vez sea propenso a la irritación. Ellas por los destellos tienen vestidos como de gitanas, sembrados de chispas de rubíes y de bandas claras. Tienen algo de ironía y algo de tristeza, levantan los hombros, tuercen las piernas. Están salpicadas de brisas calientes las hojas, las flores y las plantas protegidas por armazones de caña. El perfumado lugar está lleno de soplos.

Los informadores o los de la patrulla quieren suponer que las muchachas entraron como soldaderas pintiparadas y festivas, indecentes, en la parte sur de los cuarteles y durante la siesta, un tiempo antes que volaran casi todos los edificios.

Explosión que también rompió los vidrios de las elegantes casas alineadas del otro lado de la calle de Empedrado. Durante los sucesos se vieron salir hombres aterrados y correr con desatino y atrincherarse. Pero hacia el fin de la tarde la dignidad es repuesta en la parte no destrozada de los cuarteles y la vigilancia se redobla. Unas voces, habladurías y aglomeraciones de los vecinos desaparecieron. En el área sur quedan erguidos pocos trozos de mampostería; las columnas y pilastras que no cayeron mantienen en sus costados segmentos de arcos de bóveda.

Acusaciones durante la noche en la barraca. Una habitación muy amplia está iluminada por bombitas eléctricas que cuelgan de cables. Las ventanas son altas y las paredes sucias, frías, con zócalos de color violeta. Veintiocho soldados rodean a las tres mujeres muy jóvenes, o intrusas. Ellas parecen esperar alguna resolución. ¿Desesperación entre las perdices? Sus caras dulces están adelgazadas por el recelo. El oficial de las correas cruzadas es un bronce, prorrumpe, grita, "¿Quién sois, qué hacéis?" "Estamos de plantón con hambre y temores", contesta la ingenua Modesta. Entonces los hombres ríen desordenadamente, aturden. El oficial deja que su gente se regocije un rato mientras habla en secreto con algunos, a quienes acto seguido da el inflado título de testigos. Este es el procedimiento de repartir orejas, de suplantar declarantes. Pronto los elegidos hacen grandes y continuos movimientos en señal de afirmación, porque el oficial desarrolla una perorata. Hay en su discurso trozos imprecisos, hipérboles, recursos presuntuosos; quiere atar cabos. Ofuscado con su verdad, ¿qué imitación hace?, ¿qué acción quiere regular?, ¿bajo qué leyes de números?, ¿qué materia variable?, ¿qué uso inmoderado del gesto y de miradas fijas?, ¿cómo procederá después? Cuando Honorata alza exagerada una mano abierta, despega los labios y exclama: "¡Usted habla como si fuera cosa cierta lo que dice!, no nos atormente con misteriosas palabras cuyo sentido no podemos penetrar". Los soldados crueles chiflan.

Militares divididos en grupos. Cada grupo asedia a una muchacha. Modesta llora, se agitan sus hombros y sus pechos redondos siguen el ritmo de los sollozos. Los soldados se pierden en esta escena de vaivenes. El segundo grupo forma un ramo alrededor de Honorata, arrinconada en un ángulo de la habitación, cerca de una ventana. Su cuerpo aparece retraído, apoya las manos sobre sus pechos puntiagudos, nadie se le aproxima. Ella entona persuasiva un canto de palabras bíblicas:

"La garganta engulle todo alimento, pero hay un alimento mejor que otro. El paladar distingue al gusto los manjares dados, así un corazón inteligente los alimentos de mentira".

Y lo repite varias veces elevando un poco la voz. Los soldados no sienten reparos cuando la negra abre la ventana. El último círculo encierra a la esbelta María Ilíaca, allí está el oficial a quien llaman Teodoro Tiro. La actitud de la muchacha es desafiante, retrocede, parece una figura de mucho relieve, ha encorvado la espalda, contrae su vientre, su cuerpo elástico está en acecho; felino hembra en trance de ataque. En todos predomina la atención. Teodoro Tiro después de restregarse la boca trata de tomarle las manos con brusquedad, pero ella se zafa y da con acierto un sopapo al oficial, le hace caer la gorra. Un atrevimiento y ofensa semejante, que antes nunca se vio, no quedará sin castigo.

Oficial que a la manera antigua tiene unas explicaciones racionales para los hechos desconcertantes. Su cara, aun siendo sólida, hoyosa y de grandes patillas, revela algo de traqueteo ansioso. Habla con resentimiento, es una voz estridente cuando se dirige a la evasiva criolla. Sus odiosas repeticiones son: "No podrás sobreponerte a nosotros, te arrastrarás de rodillas, tardíamente arrepentida, te arrastrarás por las calles adoquinadas, te arrastrarás por la tierra, arrastrarás la cara, arrastrarás la boca por los terrones, arrastrarás los dientes". Habla teniendo el cuerpo firme, aprieta seguidamente las mandíbulas, entonces le duelen los oídos. Y calla, deja en suspenso, camina, se desplaza poco. Tal vez piensa en arrancar los ojos a ésa, en estaquearla, en entregarla a sus hombres para que la gocen, va de una cosa a otra. Se siente que conjetura. La espera se prolonga y la gente envarada suele reír por inquietud. Y éste es el desenlace: el oficial enérgico apunta su grueso índice hacia la frente de María Ilíaca y grita: "Harás lo que hacen las perras, pero antes te darán diez azotes a culo pajarero". Enseguida los soldados ríen más, ruidosamente, mueven las barrigas como hipando, se golpean los muslos con las manos. Algunos silban, los dedos en la boca, mientras miran a la mujer igual que a una piltrafa. La muchacha siente el flujo de las risotadas, la penetra un aire frío, es densa la seriedad de su rostro, la oscuridad de su figura; se distingue el blanco de sus ojos. Al oficial hasta las mujeres taimadas le rehúyen la mirada, ésta no.

Mientras tanto, Honorata Pelagia desaprieta y baja el escote dejando saltar afuera los senos. Que parecen panes tibios tiznados con pezones en punta. Son maderas de arrayán muy finas. De lejos parecen pintura sobre tejido de lino. Ella es deliciosa, se mueve lasciva, es una saludadora, igual a una bendicera componiendo venenos amorosos. Hay armonía en sus pasos. Es una muchacha de color gallarda, su vestido es de algodón rojo con lunares blancos. Ahora sus pechos están libres. Tan lindos y erguidos. Los soldados que andaban semejantes a ganado desacorralado se han detenido, la miran golosos, prefieren no decir. Los senos femeninos emiten figuras o simulacros livianos que vagan sobre los ojos y bocas de los hombres, también resbalan entre las manos como vasos que se desmenuzan al tocarlos. Merodean y oscilan esos simulacros y ellos burlescos echan la lengua para paladearlos. Se espesa el calor del aire, desata los cuerpos. Una de las ventanas está sin embargo abierta. Ella se dirige a un soldado tonto y vuelve a cantar:

"Salgo a tu encuentro, descansa entre mis pechos que son como las nalguitas de una niña. Zorra pequeña, me desnudo para no ser tímida y arreglo mis cabellos. Aprendí amores con los negros Mwanga y Mwafa. Soy quien inclina el cuerpo y se insinúa. Pero mi deseo hace caballos encabritados y jinetes enloquecidos. Desnudo mis pechos para no ser tímida, juega con tus dedos, ¿quién te impide la curiosidad? Concierto y hago lo que me dicen".

Cuando había vacilaciones se produjo el salto de Honorata Pelagia. Mientras los soldados de uniforme de paño grueso, de miradas condescendientes, empezaban a conversar o más bien gangueaban, ella se encogió, se dobló, se balanceó sobre la punta de los pies, levantó los brazos y enseguida, pisando los tablones de un banco de nogal, se lanzó por la ventana abierta. Fue una jabalina romana arrojada por una catapulta.

Momento del salto de la negra con mamas desnudas a través de la ventana de estilo recargado hacia el jardín cubierto de maleza. Ella es una estatua de estuco policromado, de seis cabezas, tres están más acá de la ventana y tres más allá, en la cara de la noche. Atrás vuela todavía un tapete de flecos y se siente crujido de mimbres. Adelante es un extraño mascarón de proa embadurnado de rojo, con las mejillas y las tetas doradas, entrando en la lluvia de sombras de los vegetales. Salta sin desmelenarse, sin desaliño, sin jadear. Salta para huir hacia las tierras sueltas y ligeras. La ven pasar como a un rápido bergantín de velas cuadradas y palos inclinados navegando bajo un cielo hosco. La imaginan aleteando igual a una zancuda. Y después los hombres quedarán haciendo muecas, dando pasos torpes. Sus voces sonarán como tubas.

Se ve un campo de apacibles colinas, las nubes son cordones lilas, hay una parte de la ciudad con casas todavía oscuras en el alba. En el centro de la escena se halla el inmenso desolado esqueleto del cuartel gris, que ahora parece una res muerta arrojada al camino, un costillar descarnado. Los pocos muros se sostienen ennegrecidos. En vez de ventanas hay huecos, las columnas están tronchadas, los hierros doblados. En el patio de honor hay cañones caídos y rotos, y escombros donde se mezclan armaduras de fundición, persianas y trozos de mármol. El pabellón de las fiestas y los retratos quedó completamente destruido. El pabellón para oficiales y sargentos ha tomado la apariencia más extraña, por la forma de las brechas, rajaduras y derrumbes, no se sabe si allí había decorosos cuartos. Miran desde una escalinata principal, el conductor general de equipajes, el aposentador general, oficiales guías, sargentos escoltas, ordenanzas, veterinarios, herradores y topógrafos. Todos aparecen en el acto de menear la cabeza. Muchos se preguntan: ¿puede mezclarse la tristeza con la ira?, ¿se hundió el palacio a los golpes de la orgía de los proletarios?, ¿era el palacio un lugar de hacinamiento y posible bienestar? Cerca, algunos trabajadores están para recoger fragmentos de esculturas y restos de muebles. Hay tres últimas columnas de humo, suben desde estos lugares hasta el cielo y hacen arriba figuras o espíritus: la cabeza de un chacal, la cabeza de una arpía y la cabeza de un buitre. En terrenos ondulados apartados que parecen vientres, se ve a una muchacha negra huida escondiéndose entre los vegetales.

Desertor escapando después de las explosiones del cuartel gris en un caballo de raza criolla. Animal de galope corto y rápido. Monta en pelo, lleva anteojos pequeños de vidrios redondos, lleva uniforme de color caqui, botones y botas negras. Pero ha dejado en el suelo una lanza de fresno con pendón. Inclina el cuerpo hacia adelante, primero pasa por naranjales, cerca de setos de mimosa púdica, entre bananos. Queda disimulado el sentido de su galope, y se ven muchas plantas a su alrededor: verdores en forma de rombo, de espátula, de ángulos triedros, de caracoles, de arcadas y arquitrabes, ricas cortinas vegetales, loca decoración, loca esplendidez que resguarda. Se sienten olores frescos, vuela un ruido de ramas y hojas. Unos pájaros pasan y gritan, eluit, eluit, eluit. Se oyen perdidos escopetazos. Jinete y caballo son una figura que empieza a repechar por una cuesta, en severa aptitud, ahora a un compás lento.

Tropa buscando negras y desertores: hombres a caballo que llevan tercerolas, centinelas delante de una empalizada con fusiles reglamentarios cargados, soldados que caminan ensimismados o expresando cierto estupor. Es apenas el amanecer, las lomas están dormidas. Esos hombres tienen nieblas sobre las cabezas, pasan entre árboles de troncos grasientos, buscan con ojazos y gestos de jorobado. Van guiados por jefes que miran topografías en papeles grises. Después se dirigen a unos cañaverales. No echan particularidades en saco roto. Golpean a veces azarosamente con los machetes en las parvas. Algunos revisan requetebién, otros se conforman con alargar el cuello. Más descontento. Andan tras ésas a quienes ellos llaman, "Negras de corazones altivos, negras de las calles del vicio, negras deslizables". O tras ésos de quienes dicen son, "Desertores ladrones de caballos, soldados descarriados, soldados que izquierdean". Pero el mundo marcha a poca diferencia como siempre, gallinas listas y desconfiadas revolotean, bestias mansas apacientan, pasan tempraneros vendedores de fruta, pasan hombres de sombreros hundidos en las sienes, luego pasan señoras vestidas de color rosa. Hacia el final se ve a los soldados que han hecho muchos exámenes y vigilancias y no han dado el golpe, que van por las aceras sumergidos, atontados, yuxtapuestos a las casas.

LÁTIGO

Los ruegos de Modesta a Teodoro Tiro. "¡Oh, jefe de los soldados!, si no estuviéramos en este lugar horrible de bancos de madera y enormes artesas, de hombres petulantes, aquello que veíamos sería un dulce paisaje como el de la ciudad cuando empieza a llenarse de luz, o el del campo verdoso, o el de las playas amarillas, y allí andan los que descansan después de sus trabajos, a quienes las cosas raras no les importan, y no saben lo que se designa acá, y las que como nosotras son cumplidoras sumisas y hasta los remotos hombres de la labranza que sólo miran por sus azadas y rastrillos y hasta los que papan el aire; ellos no se molestan en pensar sobre sitios como éste, de sólo taburetes, de zócalos altos, donde se escuchan palabras que dan pavor por las descripciones de leyes y castigos, pero usted sabe bien que a ninguno de los de afuera le importa lo que sucede aquí y se lo repito, ni les importa del uso que usted hace de la justicia, por lo cual su justicia resulta inútil y por esas indiferencias le pido con mis miedos que borre el ruido apretado de sus acusaciones, de las penas que son infamantes, que me volverán lánguida mientras espere el castigo, que harán de mí una muchacha de burla y vergüenzas, y aun para los distraídos empezaré a ser blanco de las habladurías feas, y también lo sufrirá mi compañera buena, porque entonces le digo, le recalco, gesticulo frente a sus facciones y mis ojos están vidriosos, y ¡ay!, esfume con trapos, aplaste con botas las palabras que decidieron mi corrección y la de mi acompañanta, ¡ay!, no haga de nosotras unas deshechas, unas flacas escurridas, sin estos brazos blandos y mullidos que tanto placer dan mirarlos, ¡ay!, diga a los del castigo, al azotador, que olvide las primeras órdenes, que no eran suyos esos términos, porque los de afuera, los que trabajan, no saben ni oyen."

Pasaje de militares por calles estrechas llevando a María Ilíaca. Son veredas o atajos quebrados entre edificios. Desde abajo no se ven los tejados, se distinguen los cornisamentos como alerones rosados. Es el alba. Hay faroles adheridos a los muros, aún arden resinas en los vasos, echan plumas de luz, pero un sarro oscuro predomina en las paredes y lenguas de buey ensombrecen los suelos. Hay macetones arrinconados. Pasaje de la escuadra de sargentos: llevan uniforme de paño grueso y gorra sin visera, tienen las bocas y los ojos apenas abiertos, llevan zurrones colgando y cartucheras de pistola en el cinto. Son sargentos y músicos. Uno que está adelantado carga un chinesco de campanas y cascabeles, suenan los metales y cristales. La otra parte instrumental se compone de un violín, un triángulo, un bombardón y tres tambores de hojalata. Las piernas agarrotadas marchan al compás. Desde arriba las rodillas parecen hinchadas y los pies pequeños. Golpean como maromas de esparto. María Ilíaca va detrás alelada, lleva sólo una camisa muy corta, camina a tropezones, las correas de sus sandalias están desatadas y arrastran por el piso terrizo. Va con la cabeza gacha pero a veces la levanta y mira las cornisas rosadas. Hay prudencia militar, cuatro sargentos la siguen y empujan, entonces ella gime.

Acontecimiento, o escena del castigo a la joven Modesta en la calle al lado de una verja larga. La humedad embarga la calzada y las paredes de las casas. El cielo está cubierto de nubes turbias. Llovizna. Suenan persianas al abrirse. Hay un tinglado de tablones nudosos y envejecidos, se sube a ellos por dos escalones de hierro. Empiezan a mirar desde las ventanas caras fijas, lustrosas, de narices abultadas. Abajo, pisando los adoquines mojados, hay mujeres nerviosas y militares de trajes ásperos, alternando, se confunden, se amontonan con gusto. En la tarima está el gigante azotador Salimperote, un hércules de feria que se ha puesto su delantal de zapatero y para prueba hace cimbrear las varas en el aire y restallar los látigos en el piso. La rubia Modesta sólo tiene encima una camisa muy corta. Una mujer fuerte, melena opaca y labios pintados de azul, la toma como si fuera un fardo ligero, la eleva casi por el aire, la obliga a apoyar el vientre sobre un taburete, le doblega la cabeza y le alza la camisa dejándole libre las nalgas y parte de la espalda. Entonces el gigante la zurra con una larga lonja de cuero. La muchacha se retuerce y baja su traste femenino algo grande a cada lonjazo. Los soldados mirones gritan, "¡culo de mona!"

María Ilíaca mira el traste de Modesta. Donde un anatomista vería después de la armoniosa terminación de la espalda, el gracioso rombo de Micaelis, las fositas de Venus, la raya entre los glúteos, los pliegues, la tersura, la discreta porosidad, lo luciente. Pero ella ve esas nalgas a la intemperie algo borrosas, por la garúa, por el vaho de las bocas, y algo tapadas, por los pelos de las que miran, por una gorra aplastada, por una visera larga, por una nariz aguileña, por un mentón. Ve el látigo en su obligación de cumplir. Y el traste se enrojece. Opulento, hinchado, de alabar con palabras redundantes, y también malva, con motivos florales, sangrante, lunas de sangre, como pechos venosos grandes. Promesas de un sentido escondido, disimulos de una idea inconfesable. Para un jugador artero. Cuando en este momento, en perímetro reservado, María Ilíaca también mira a un grupo de odiosos funcionarios. Uno que está adelante tiene la cara con pigmentos y escamas, rigideces, nervaduras, y hace una mueca de ironía. Otro aparece con la cara compuesta de formas arrugadas, como de aves y peces de especies feas, acaso sea uno de esos pintados por Arcimboldi. Los de atrás aparecen de contornos menos precisos, todos muestran cansancios y desprecios. Hablan resoplando. Uno dirige la mirada hacia ella y dice: "Ahora acorralen a la otra, que es un animal endurecido", y añade cosas que no se oyen con limpieza. Ésta es la versión de María Ilíaca acerca de los gobernadores o la versión más difundida.

María Ilíaca espera su castigo de pie; la azotarán después de Modesta. Cuando un escalofrío le sobreviene piensa: "Si pudiera tramar algo, si todo se ordenara de otro modo, si escapase volando en torbellinos". Pero hay un cielo de nubes lentas, se desprenden de las casas débiles vapores. Siente el viento flojo. Ve al avezado a pegar, un hombre fornido, resuelto, y los instrumentos puestos sobre taburetes, un trozo de soga, vergas elásticas y limpias, un rebenque muy ancho, un látigo circasiano de cuero redondo, un látigo terminado en punta finísima, un cinto danés de extrema ductilidad, una lonja de cuero de knapp blanda y blanca y el terrible knut ruso. Ve las nubes iguales a chalanas lentas, ve a la atormentada Modesta que hace culebreos, deshecha en lágrimas, que se queja en ritmo de salmodia, que no es una bruja, no tiene espolones en los talones ni salen incesantes avispas de su nariz.

Conjunto compuesto por María Ilíaca cuando va a recibir el castigo con el traste al aire y personas que observan desdeñosas. El espectáculo es curioso e interesante. Llovizna. La muchacha está sostenida por una mujer fuerte, La Julía, y a un costado se encuentra el gigante Salimperote. Se hallan encima de una tarima a la que se llega por dos escalones de hierro; los tablones son nudosos y envejecidos. En un taburete hay látigos. La Julía, melena corta y labios azulados, lleva puesto un vestido de tela basta. En pleno abrazo retiene a la muchacha criolla, la mantiene erguida sobre la punta de los pies. María Ilíaca ha cobijado su cabeza en el hombro de la mujer fuerte, sólo quedan restos de su moño de rodete, los cabellos sedosos caen en crenchas irregulares a los costados dejando la nuca descubierta. No se alcanza a ver el rostro, seguramente lloriquea. Tiene una camisa muy levantada y replegada a la altura de las escápulas, queda así la larga espalda desnuda, se distingue una de sus trémulas tetas. Las nalgas están húmedas, si se apretaran escaparían como peces.

Levantada la camisa aparece el traste terroso de María Ilíaca; enseguida será azotado. Es como dos tamboriles de parches tensos. Tiene sombras esfuminadas, brillos tenues, suaves depresiones, hoyuelos, en el medio la oscura sima. Laterales sombras lo rodean, igual que una plumazón negra. Tiene dos gotas, un rocío que va resbalando por sus costados. Tierras cálidas y elásticas, moviéndose como los ánades. Le han levantado la camisa descubriendo el cuerpo hasta más arriba de la cintura, ella vuelve la cara hacia un lado. Echamos un vistazo: gozar con lo que otros gozan. Sus nalgas son manzanas sin embarrar. Quién manosea esas apariciones... Culo de carey con hilos de claridad, que se levanta graciosamente. Muslos sobresaltados. Como un cielo cuando se abre el tiempo.

Al amanecer cuando las aves salen de sus nidos se ve a María Ilíaca, su traste al aire, cerca de la verja de lanzas cuando recibe el castigo está sostenida, extraña aventura de una muchacha luego de otros incidentes, se ven sus nalgas lustrosas, despejadas y ella llora irracional, está erguida sobre la punta de los pies, una anaconda color de tierra clara, tiene el mentón inclinado sobre el pecho, la cabeza cobijada sólo quedan restos de su moño de pelo, no se percibiría su rostro seguramente lloriquea, a partir de aquí tiene la camisa levantada y replegada, las nalgas a la intemperie están húmedas, lomas de poca elevación, allí sus cuevas, ráfagas de viento, o tunda que recibió y obligada apoyó su vientre dejando desnuda buena parte de su espalda, y su cara terrosa y triste, se retorcía bajaba el traste a cada latigazo, contrae los ojos para mirar lejos, tiene los codos y rodillas sucios los pies descalzos, por la lluvia tibia las nalgas aparecen relucientes que gotas resbalan hacia el nacimiento de los muslos, sus carnes sensitivas estremecidas, se muerde el labio inferior, cuanto puede baja las ancas desnudas, culebreo de animal que no tiene para guarecerse, deshecha en lágrimas mueve hacia aquí hacia allá el delicado cuerpo tostado, cuando la luz mitigada va por su piel fina y gime una triste melodía y latigazos volverían a menudear, se reanudan tal vez insuficientes, ese incesante tantearle, oh, Nuestra Señora de los Abismos, no olvidemos de advertir pues, que no tiene espolones en los talones ni es bruja renegada pero cabrillean sus aros de lata, sus nalgas vacilantes iguales a mejillas, y tañen sus carnes salpicadas de lluvia por lo que la piel se tonifica y anima con chasquidos de látigo, queda semejante al tigrillo de manchas oceladas, necesitará baños vegetales emolientes, ejercicios de higiene y recreo.

Pasaje de militares por calles estrechas llevando a María Ilíaca. Son veredas o atajos quebrados entre edificios. Desde abajo no se ven los tejados, se distinguen los cornisamentos como alerones dorados. Es el mediodía. Hay faroles adheridos a los muros, los vasos son opacos, un sarro verdoso predomina en las paredes y lenguas de buey clarean los suelos. Hay macetones arrinconados iluminados. Pasaje de la escuadra de sargentos: llevan uniforme de paño grueso y gorra sin visera, tienen las bocas y los ojos apenas abiertos, llevan zurrones colgando y cartucheras de pistola en el cinto. Son sargentos y músicos. Uno que está adelantado carga un chinesco de campanas y cascabeles, suenan los metales y cristales. La otra parte instrumental se compone de un violín, un triángulo, un bombardón y tres tambores de hojalata. Las piernas agarrotadas marchan al compás, desde arriba las rodillas parecen hinchadas y los pies pequeños. Golpean como maromas de esparto. María Ilíaca va detrás, lloriquea, lleva sólo una camisa muy corta arrugada, arrastra sus pies desnudos por el piso terrizo, va con la cabeza gacha pero a veces la levanta y mira las cornisas doradas. Hay prudencia militar; cuatro sargentos la siguen y empujan, entonces ella gime.

CASA DE PLACER

La casa de placer de la playa amarilla está donde termina un monte de árboles. Luego el terreno baja apaciblemente hacia la arena. Es una gran casa de madera con adornos en el frente y techo a dos aguas. Las copas de los árboles son apenas más altas que su cimera. Después las dunas descienden, a veces retenidas por vallados de espinos. En sitios corren cercas de estacas. Atrás de la construcción y medio oculto por troncos tumbados hay un galpón abierto donde asoma un tílburi color de lacre. El cielo está formado por enormes pellejos grises separados y desgarrones blancos. La luz es taciturna, huraña entre los árboles, triste sobre la ancha playa. El mar está encrespado en la parte de la costa, es turbio hacia el horizonte. El follaje es aventado por la brisa marina, crujen los tablones de la casa. Oscila la iluminación azulina de un cartel donde está dibujada la cara regordeta de una mujer; ojos redondos y boca bermeja. Son las horas postreras de la tarde, se dejan llevar del aire pájaros anchos.

El que se encarama para mirar sufre golpeado por fuertes luces, a tientas vería unas cavernas pardas, vería cilindros de hollín taladrados por los resplandores. Hasta que la luz bárbara decrece, huye por los espacios entre las tablas parecida a un vendaval blanco, y rápido se transforma el espacio, primero en colores nubosos, después netos y en formas. ¡Oh, prójimo de sombrero húmedo, éste es un lugar de vergüenzas!, deja tu sueño de éter, adentro habrá singulares habitaciones y objetos hacinados, ¡son sitios para bellezas inferiores! Estás trepado en un árbol de piel áspera, te molestan unas agujas resinosas, hay heno en el suelo arenoso. ¡Baja, escapa!, tienes tiempo de ver el último mar y la lenta playa que se está endureciendo. Pero un encumbrado puede ver con mirada congestiva el maderamen donde suben arañas, la escalera que entra y el pórtico donde hay una estatua que representa a un Apolo adolescente en el momento de matar un saurio con un guijarro. En una parte lateral de la casa hay una baranda con señoritas apoyadas: grupo impuro, o grupo de mujeres abúlicas y soñadoras.

Lista de señoritas apoyadas o próximas a una baranda en La casa de placer de la playa amarilla. Están desde la izquierda, en primer lugar, La Julía y La Guarraca, ambas llevan faldas de rayas verticales, blusas de encaje de algodón y encima chales con flecos. Hacia la derecha están enseguida, Roselina, Felipina, Fuscina, Febronia y María Ilíaca; todas llevan vestidos de gasa estampada con faldas al bies, las mangas en ala de mariposa transparentes y amplias, los escotes profundos, tienen collares de cuentas multicolores. Porque hay brisa fresca algunas se han puesto sobre los hombros unas pieles de puma y de mono. Las mismas mujeres producen una sombra levantada y cobijadora atrás, sobre las puertas. Se ven unas plumas gris perla en el piso. Todas tienen pinturas en los párpados, mejillas y labios. Pero las señoritas aún no se han colocado flores en el pelo, permanecen, apenas se mueven, miran lejanías, los ojos como sin fondo. Se oye, el ruido del mar y cortos ladridos.

María Ilíaca recuerda las palabras de uno de los que la llevaron: "Aquí hemos venido a recluirte hideputa, tienes una silla y un tambor para que llames". Enseguida recuerda que llegaron Roselina y Felipina, brazaletes ruidosos, polleras amplias y frunces, cadenas finas para los tobillos, desganos con risas. Y traían cremas y jabones. De conversaciones, intrigantes o maldicientes, bocas de escorpión. Se oye un sonsonete de ventilador. María Ilíaca sentada deja caer los brazos, bostezando balancea los pies, esto es displicencia, las otras bailotean a veces o la entretienen con razones aparentes. Un olor a barniz las rodea. A la hora en que agobia el sol el camino de la playa será pesado y polvoriento el sendero alto. Ellas saben lo que les espera. Tal vez por el lado bajo viene un alocado cualquiera, que salta las espadas de mar cuando se meten por la arena; seguramente entre ardores y miedo y el pantalón abultado en la ingle por lo cual se dará prisa. Pero arriba, donde atraviesan lagartijas, puede andar el Salimperote, menos ágil, arrancando plantas pequeñas para no llegar todavía. Él tiene ganas de glúteos aunque sus manos grandotas quieren ser perdonadas. Engañan gritos lejanos, se golpean unas celosías, trae avanzadas la tempestad. María Ilíaca imagina y se habla a sí misma, "Santa Virgen de los que no tienen a nadie, lo sé, mal de mi grado he de fregarlos, sobarlos, señalarles, inclinar sus pelos, henchirlos poco a poco, enjugar las salivas y darles buen rato y que se cansen pronto. Entonces debo esperar esas figuras de la tormenta con disimulada indiferencia, estilo preciosista, maneras gráciles, sin faltar una jota y el rostro cambiado. Echada o acuclillada para esas bestias de pies flexibles".

Reunión en La casa de placer de la playa amarilla. El gran Salimperote entre mujeres. Su sangre se hace cálida porque anda en modorras, se baja la ropa, y está dejándose tocar. Algo parecido a un encantamiento. En unos momentos se halla sin perder las botas amplias de cuero crudo ni los adornos personales, con la camisa abierta. En otros está entre espejos de mango de plata labrada y él afeminado, risueño, lleno de sortijas, paños de brocado, forros de lamé, ataduras por cordones de hilos de oro. Revuelven los dedos en su boca La Julía y La Guarraca y después le refriegan la panza con artes de brillo y penumbra, usan técnicas evocadoras. Hay hornillos, lumbres, olores orientales, bujías que crean colores. Él deja sus piernas sobre almohadones, luego los patea indolente y se queda holgazán, hasta el rescate que viene del sueño, escuchando apenas las risas y frases de las mujeres. Ellas le murmuran, "Dulce consuelo, patrono de las inquisiciones dulces, pergeño, ampuloso, fuego de amapolas, de flores de islas, déjame tus lugares de sal, dame estupros, puñales sin reverencia, almíbar, luz de los caballeros erguidos y de las imaginaciones". Afuera saltan otras mujeres debajo de la luna, aúllan igual que perras cachorras.

Divagación de María Ilíaca sentada: "¡Qué vilezas Maríaca!, si gente viene a tocar a las compañeras, ellas no pueden zafarse, están como con grilletes en los tobillos, y están como babeando Roselina y La Julía. Pero también La Guarraca y yo. Acaso venga un grifo grande, la cabeza del águila más imperial, las plumas marañosas, la grupa lustrosa de león, o se vaya entre unas columnas. Quizá el mismo Salimperote, como habilísimo, meta la mano en la boca de La Julía para tironearle de la lengua. Quizá, en este lugar de suplicios, él rasgue los vestidos, zurre los trastes, ponga un embudo en algún tajito, marque las mejillas, exprima las tetas y llene cuencos de leche. Tal vez lleguen mastines para tener placer con nosotras. Pero ahora estoy intacta; me encrespo si me miran. Cuando las otras chupan bastones de caramelo y se transforman en ostentosas novias cubiertas de polleras, llevando las coronas de latón donde se engarzan cristales y serpientes. A sus costados andan esos perros estirándose y sumisos. Ellas caminan contoneando las ancas y hacen sonar las joyas que las cubren, muchas joyas, y aumenta el tintineo tanto, de hacer espanto".

Otra vista exterior de La casa de ilusiones, elevada sobre los pilotes que emergen del suelo arenoso, con muchos tablones pintados de azul. Unos corredores de baranda miran al mar. Hacia la mitad de la mañana, cuando el aire es poco agitado, la casa se caldea. Pasan aves chillonas. Entonces aumenta la melancolía de María Ilíaca. Ella acordó su corazón al de las otras, si sube un hombre, mansa revolotea de la misma manera, le baila en torno. Porque una espera es larga, contempla lo lejano, lo que bordea el horizonte. Piensa cómo será el enemigo, cómo serán las fornicaciones. "Acaso ése parezca un caballo jadeante, un cuerpo de caparazones, pelos y mugre, o sea igual a un campo libre donde se yergue la araucaria. Alguien que se arroje sobre las muchachas vestidas de gasa". Ella sobresale en el vano oscuro de la puerta. Entrecierra los ojos, siente el vientre blando, pone una mano sobre la cadera, tiene un gato selvático al lado de su pie derecho. Oye el silbido de otra mujer.

Reunión de jugadores en La casa de ilusiones. Los hombres tienen sombreros altos de paja tejida y pantalones redondeados. Están sentados junto a mesas pequeñas, sus manos se ven confusas. Se escucha la música estimulante de un xilófono. El palabrerío es a veces desconcertado y sin pudor. Otras distracciones: una muchacha pasa aros por las piernas, una se despatarra, una gira el cuerpo hacia las puertas y enseguida representa desmayos, una echa guiños a los hombres y sopesa botellas de vino, dos envuelven higos en hojas frescas. María Ilíaca es ayuno cuando la miran, cuando se olvidan se abalanzaría; ojos de piedra negra, puestos para el anhelo, brazos de un ocre calcinado semejante a esos caminos. Una melodía cambia y ella canta frases sentimentales y humorísticas. Le salen de la boca cintas blancas y verdes que forman dibujos bizantinos mezclados al humo de los fumadores. Si ella canta tiene en la boca un vaho de placer.

María Ilíaca está escudriñándose los dedos, pero luego alza la cabeza porque el ambiente es propicio. Cantora para recrear, muchacha de rostro pintado, entonces recita:

"En un teatro de malignos, salientes
barbas, dientes y cuernos amarillos, después el raso para las gargantas, azul y rosa,
después los brazos quebrados para signos,

las manos de los vendedores y recibido-
res, unos anillos de hueso. En la danza pasan sus muslos entre las telas, ellas, que
hacen con los párpados sombras y mecen
los cabellos. Las esclavas bailan con instrumentos de bronce y sonajeros. Se ma-
tan los actores de florete, se atraviesan, hay
salpicaduras negras."

Notas para la entrada de María Ilíaca en una bañera
enlozada. Desnuda, oscura, tiene una pierna recta y todavía
afuera y otra flexionada que ya toca el agua clara. Contra una
pared está su silueta sombra, como muchacha en terracota.
Una linda en el agua adquiere formas no conocidas. Partes
del cuerpo femenino se vuelven tentáculos sedosos y ondulantes. Un animal muy delicioso dibujado e iluminado. Sale
en cueros al patio, luciente. Perfumada está, con esencia de
mejorana cuello y rodillas, con tomillo las mejillas, en el pelo
ungüento egipcio. Las abluciones calientes son un signo de
molicie, predisponen a la voluptuosidad. Los ociosos tenían
por permanencia habitual las casas de baños. Lugares comunes a los dos sexos. Baños de orujo de uva; ella se entierra,
por decirlo así, en orujo. Baños vegetales, se preparan haciendo hervir dos kilogramos de las plantas emolientes, malva-
visco, malva y saúco, en diez litros de agua.

Ésta es otra divagación de María Ilíaca, desnuda y echada en una bañera enlozada. "Habrá en los arenales huellas, rieles tirados, pajas herrumbrosas, restos de desastres marítimos, unos vientos los clavaron, después serán roídos, borrados. Hay aquí un zigzagueo, me saca hojas del pecho quemadas y secretos, resentimientos y ensueños, pero quién es más apacible que yo en las horas del aseo, rozándome a mí misma con las manos. Y nadie estará como yo, en regatear con el silencio, en mostrar la incertidumbre que enerva. Toda una impiedad para los precios. Porque valen mis brazos tanto como la ardilla juguetona y mucho mis piernas de sepia que son para quedar grabadas en una lámina artística, colgada en la puerta, donde los hombres pasen y deseen. Aunque ahora soy nada más que una muchacha de cabello alheñado en una bañera. Y los hombres pasarán igual que cerdos. Pase usted y mire el borde blanco de la bañera enlozada, sin letras, de tres dedos de ancho. Para lo demás habrá algo malsano en su mirada".

María Ilíaca piensa que la espera es larga. "Estos días el cielo se cubre de bruma; se sacan los manteles de entre ramas olorosas, se riman las porcelanas, se limpia la tetera, se distribuyen las sillas hamaca en la habitación mayor, y ellas preparan las posturas, sus largos cabellos, el arte de manos y joyas. Temo lo que puede avergonzarme y me toco los pliegues del vestido. Alguien puede venir, un torbellino, por ejemplo de voz profunda, anchura de hombros, empujando entre risas, de brazos parecidos a lanzas. Vendría por la parte silenciosa de la arboleda, me vería contra una pared, enseguida estaría yo al lado del ardiente amador, perro de hocico pródigo, del cual no se conoce la torpeza o el deleite, ni sus leyes extrañas. Sería un dudoso acceso a la cama con alguno de esos que quieren una felicidad brusca. Hasta ahora sólo merodean, tienen ojos de brillos dorados."

María Ilíaca piensa que la espera es larga. "En las pocas esquinas de madera, al lado de los postigos, en una mansedumbre prolija, una opacidad, se levantan mis pezones, puntas que no contengo. Cuando el día se estrena en las hendijas y se difunde por las sábanas ahora frescas, me miro; así nunca me miré la greña del pubis, las piernas ávidas y las causas de la soledad. Y veo unas aureolas de luz y casi adivino lo de afuera, el verde fuerte de los árboles oblicuos, de otros de troncos que cortan la escena de la playa, de los primeros matorrales que van hacia las colinas, y el alzarse de un hálito entre unas cañas y el vuelo de pájaros atolondrados. Cuando me desperezo por los cuatro miembros y arrastro mi trasero tibio sobre unas mantas."

María Ilíaca piensa que la espera es larga. "El sol hace volar los polvos sonoros del cuarto, provoca, ilumina la máquina de coser Pfaff, ha despertado las vasijas, hace aparecer sin penumbras el cuadro que representa guanacos, árboles andinos y la nieve. Me despego los párpados secos, estoy débil entre las luces, desalentada entre los ruidos pequeños, está el olor áspero del pan de ayer, hay platos acumulados que tienen caldos quietos como lagos, hay vasos con neblinas y cuchillos de lámina dentro de pedazos de sombra. Me acerco a unas cualidades. Estiro el cuerpo tan tierno, en otros intentos extiendo los brazos hacia delante, curvo el lomo, levanto la grupa, clavo los pies y ya son clavos firmes. Después de los resortes y estiramientos me paseo por los rayos de luz de la ventana y dejo que me acaricien en la mitad del vientre."

Quien entre en el cuarto de María Ilíaca, verá persianas, un ventilador de puntas dobladas que aletea desde el techo y acumulaciones: cama con colcha, mesa angosta sobre la que hay manzanas desiguales, cómoda donde se apoya una lámpara de hojas de alabastro, mesa con el libro manoseado La Hermosa Corsaria, máquina de coser de hierros verdes y madera encerada. El que registre pasará su mirada por las siguientes litografías: la bella figura de un rey de armas, el conjunto de alumnas del colegio Amparo de María, el retrato de la gruesa generala señora Drummond, un grupo con diaconesas enfermeras. Pero se detendrá ante el mayor de los cuadros, de estilo pompeyano, la historia de los amores de Galatea y Polifemo; en colores que van del rosa al rojo, de contrastes, que muestran a la heroína montada a caballo, carnosa y blancuzca, un embate de las aguas y al héroe con apenas dibujado el tercer ojo.

Aparición de un desertor como automovilista con antifaz de hule, guardapolvo opaco verdoso y botas deslustradas. Llegó en un coche torpedo de gran aspecto. Descendió del vehículo, sacudió el polvo de su ropa y caminó pausado y elegantemente. Quedó el automóvil bañado en bruma; acaso fue una detención forzada, un problema técnico, o el conductor busque un sitio de retiro y placer como simple cliente. Han venido a recibirlo La Julía y La Guarraca, tienen moños disparatados y ahora caminan a su lado, le pisan la sombra y le dicen palabras pomposas, el tono de la vulgaridad. Se oye: "Acérquese, hay rincones deliciosos, ya nos retocamos, crea que somos unas largas y hay mujeres en salto de cama, mueven la colita, sirenas músicas y cantantes; olorosas, gruesas, ingentes, son sencillamente lo más, y otras delgadas parecidas a una hoja berberisca, llenas de afinidades y piedades, envueltas por aire tibio, un erotismo en flor". Las dos llevan flores de fieltro en las manos. Las dos guiñan un ojo. Pero frente al rostro enmascarado, al hombre polvoriento como cubierto por telas de araña, entre ellas presumen, "Será de los que dicen las cosas que abaten el orgullo, trae recursos, es un famoso y altanero, un cresta de gallo español, una réplica de otros".

El temor de María Ilíaca: "Este hombre ha de venir de la provincia lejana donde las lomas se hinchan de fuego, el sol juega a los dados con las piedras, las hiende, las llena de jeroglíficos, y las piedras soportan esas llagas en sus cabezas y hacen de sus vientres inferiores islas de oscuridad, refugios de bichos, crecimiento de musgos, desaliñados huecos donde se halla un frío y las historias raras. La única pelambre de los locos lugares son las matas de espinos y las chumberas desparramadas que fingen ser implorantes o indios adormilados. Y andan allí unos pumas hediondos, tristes, grises en sus cuevas. Y muchísimas langostas ensucian el aire. Los rumores de esos seres ayudan a la desagradable crepitación sobre unos pedregales. Los hombres que vienen de allí traen tales ruidos en sus horribles gargantas, sus manos son tenazas de hierro calentadas, su decisión es la crueldad. Y este que veo entró, hizo rechinar la escalera, estropeó con su sombra alta dos puertas, empujó el picaporte de la mía que cedió como un tenedor de latón y señaló con su dedo vibrante mi sitio. No alzaré la cabeza. Sus borceguíes de suela gruesa arrastran paja y arena; cercanos están los pies movedizos de La Julía y La Guarraca; escucho risas de parte y parte; me imagino los rostros de ellas avinagrados pero halagadores y los pensamientos tan obscenos que tendrán por la imposición de este hombre sobre mí".

La presentación de María Ilíaca ante el automovilista. Ella tiene puesto un vestido de satén negro, la falda larga drapeada le acaricia los tobillos. Lleva un ceñidor con hebilla de jade y un corselete con incrustaciones y labor primorosa de filamentos de oro, como ataujía. Tiene el escote muy pronunciado, de los finos breteles trenzados van hacia atrás cintas con tantas plumas blancas de arará que forman una nube en la espalda. Tiene los ojos pintados como de diabla, los párpados rojizos. Tiene los cabellos rizados y enredados en sartas de caireles; los cristales caen a los costados de las orejas y producen al golpear entre sí un murmullo irritante. Tiene en el cuello una torques con adornos puntiagudos de bronce, en los antebrazos muchas pulseras, en los dedos anillos metálicos y parecen garras cubiertas de escamas. Tiene sandalias de tacones encharoladas. ¡Así resguarda su condición de mujer! Cerca de ella, por el suelo, hay derramados granos de maíz y palomas negras.

Las maneras de María Ilíaca. Que lleva puesto el vestido de satén negro de falda larga drapeada. Que entrecierra los ojos pintados como de una diabla y además parpadea. Que agita la cabeza de cabellos muy rizados. Que se ha puesto en el cuello una torques con puntas de bronce, y en los antebrazos muchas pulseras brillantes y tiene los dedos de las manos tan llenos de anillos que parecen garras con escamas. Está perfumada con dondiego de noche. Cerca en el suelo, hay derramados granos de maíz y palomas negras. En el horizonte una nube rosa y blanda se ha posado sobre un picacho. Bandadas de aves marinas sobrevuelan las piedras donde rompen las olas. Y la provocación: se cierne su ambigüedad, es un perder la palabra y los conocimientos, para un combate simulado, para empezar el baile grave. Ella saca y entra su lengua en punta, por extranjerismo tuerce una mano a la manera javanesa, en otra mano trae un abanico Szech'uen sembrado de oro.

"La muchacha señalada hace morisquetas y alardes. Aparece en el extremo del mirador, rodeada a dedos de distancia por un ancho de tracerías y follajes, tejido de ramas de laurel, hojas de banano más otras hojas menudas. Es como una alegoría de tinturas quietas. Inclina la cabeza. Pisa el umbral de su propia habitación, hay una estera limpia de arena. Ella está medio oculta, medio clara, seguramente rumia, rompería sus dientes, retrocede y se romperían cristales, un poco hincha las mejillas, con la punta de la lengua moja sus labios, sus piernas largas abren los cortes largos del vestido. Seguramente en cueros debajo de la túnica, pero cintas la disfrazan de araña. Adornada deprisa su vestido es un arte de catálogo, que ofrece una oportunidad de plegar y plegar, doblarlo y plegarlo hasta las caderas, hasta el talle, sobre los pechos calientes. Por el viento chirria la casa." Así el hombre joven ve a la muchacha que eligió en la casa de placer.

El hombre de la máscara de hule se acerca a María Ilíaca y sigue pensando: "O le quitaré la ropa hacia abajo de un tirón, para que quede en el suelo enredando sus pies. Plantada sin nada, pero le dejaré las joyas, alambres delgados, la pedrería para que haga escándalos cuando la mueva, y puesta desigual entre luces engañosas, echada y dándome el vientre levante las piernas, estruje las sábanas, se lleve las rodillas hasta los pechos; sea una marioneta del teatro de sombras minuciosamente descripta. Pueda ser también una gata que ronronea. O aturdida por sus hallazgos, tome una fuente para sus labios, un bastón de bambú, quiera arrancar, luego tenerme crispando sus músculos. Ahora le diré: se trata de eso, arrastrarás las nalgas por los caminos de la cama, sentirás los muslos cubiertos de rocío caliente y hormigas dulces, me recibirás con fervor y entre sueños, tal vez con un grito de dicha".

La muchacha entra en el cuarto, porque retrocede para recibir al hombre joven y baja la cabeza. "Ahora miro la alfombra asalmonada y mis sandalias. Antes embriagada miré la bahía lila. Ésta es la noche primera, el aire oscuro me toca la cara cuando él no lo ha hecho todavía. Él tiene poses. Parece que se alarga y me da las indicaciones, por eso voy hacia la pared y hacia la cama. Recatada no le miro los ojos, que acaso me apartarían, o entrecerrados se burlarían de cosas de mi sensualidad, ya que es un desalmado que no gasta palabra. Estoy obediente sin mirarle el vello enmarañado ni las ingles amenazantes. Para él seré una abatatada no una buscadora de líos. Él no permitirá una discusión sobre sentimientos, solamente me despojará, dirá que duerma sin nada. Todavía permanece quieto, yo diría, apacible. Afuera se levanta un aire fresco. ¿Me apretará los hombros? Hay nada más que el satén brillante sobre mi piel, si me rodea soy una hija liviana. Hay jarrones vidriados en el piso, líneas rojas en el cielo. Hay mucho silencio y está adormecida mi nuca."

"El hombre de la máscara de hule parco mueve la cabeza. Su mirada será fuerte, la boca es de labios gruesos, le cuelgan a los costados de la máscara unos marfiles clamorosos, en la cimera lleva terciopelos mal atados, melena de cuerdas. Parco se mueve, nada puedo hacer frente a esta presencia hambrienta, a éste de piel dura y para mis ojos mojados brumoso, y su desnudez, sus ijares y axilas, tan como estirado su cuerpo de animal grande, parado en dos patas, de vientre tenso, los músculos del hombro producen ruidos. Sus pasos son morosos, resuenan como palos en la maleza. Todo es vacilante para mí. O él acaso aparece igual que un profeta en un lugar de neblina. Difícil es el enigma de la máscara de hule y de su mirada intensa. Mis mamas enderezadas empujan mi vestido, un calor me hincha las caderas, estoy con ganas deseos de lamerle los pies, de manosearlo en el pubis y de lanzarme hecha una brasa sobre su esternón. Ahora sus manos llegan paralelas hasta mi cara, me frotan y embadurnan los pómulos con el reguero de mis lágrimas. Por la dulzura de su trabajo sé que nadie es tan bueno como este hombre adornado de dientes de animales."

Primer dibujo de pocos rasgos, que se hace mirando por una ventana muy estrecha que da al cuarto de María Ilíaca: la criolla de piel fina ocre está tendida en la cama, desnuda sobre las sábanas. Lleva pares de brazaletes. Tiene ojos de piedra negra, ahondados, le aletea la nariz. Le remata la nuca un embrollo de cabellos. Tiene encogidas y abiertas las piernas. Entonces se ve el pelo sedoso de su breña; esconde el pasadizo, el tajo que despierta apenas húmedo. Ella mira a su adquisidor, le dedica una sonrisa frágil. Por el filtro de las persianas llegan franjas luminosas al piso. Se siente olor a frutas. El que quema, el peludo, el que viene de tierra de impiedad está desnudo, de pie, a su lado. Es un hombre de cuerpo firme y elástico. Tiene inclinada la cabeza hacia ella. Detrás de él se ven los cromos de la habitación.

Segundo dibujo de pocos rasgos, que se hace mirando por una ventana muy estrecha que da al cuarto de María Ilíaca: La criolla de piel fina ocre está tendida en la cama, desnuda sobre las sábanas. Lleva pares de brazaletes. Tiene los ojos de piedra negra, ahondados, le aletea la nariz. Le remata la nuca un embrollo de cabellos. Tiene encogidas y abiertas las piernas. El adquisidor ha saltado sobre ella; su cuerpo contra su cuerpo. Ella como hembra le da deleite con las caderas. Él le palmea un muslo antes de poseerla con su largo sexo. A ella el tajo le tiembla como las agallas de los peces. Él la cubre con su cuerpo que es tela velluda. Ella siente que el calor se reparte en su vientre, igual que el agua de la siesta por el campo. Ella lleva besos con humedecidos labios a una mejilla y a un hombro de él. Por el filtro de las persianas llegan franjas luminosas al piso. Se siente olor a frutas. Se ven los cromos de la habitación.

"El momento en que el frío huye de los brazos; luego pierdo la destreza cuando arrastrada a lugares cómodos, a la incansable tersura que se acrecienta en el calor que sí aflora, en figuras para lograr los sitios donde estoy descubierta, una tierra quemada y sometida por las caricias, en la postura que humilla y absorbe los sentidos; que es más cuando el fresco se desprende desde la cintura semejante a un pañuelo de gasa y el sol de adentro casi ilumina; y por los tratos del amor todos los fríos igual que hojas se desgajan y vuelan y se van en brisas, vendavales cortos; entonces también están mis muslos compactos, flexible el vientre, temblorosos los generosos pechos o gaviotas que se cubren de calor por esa manta que extrañamente viene desde adentro, espanta los últimos alfileres del frío echando las imágenes de lejanas montañas heladas, los ángeles blancos, las todavía mojadas algas y medusas, que el espejo del agua las repite, pero olas calientes en la playa de nuevo llegan y sube muchas veces la calentura desde las entrañas hacia la piel, se desahoga en la misma piel y alisa, toma rubores del atardecer, toma olores del pan en el horno. Y yo con los ojos casi cerrados entreveo su sombra, inclinarse venir de nuevo, un gran guijarro ocupado en apoyarse en mí."

"Quien ha podido hablarme con tonos cálidos, que su voz como aparición serena la alberca, y a las estatuas sorprendidas y baja por las paredes exteriores, deshace un río, lo deshilacha en lanas. Hace lechosa mi boca. Me miro y desde el patio, por la ventana, debo ser una mujer flamenca, los utensilios de la cocina a mis espaldas y la penumbra, debo ser de formas agradables, señalada con un dedo; cortesana puntual, que la ventana deja ver hasta las caderas. Me insinué por lucro y él dinero no llevaba encima. Le tiendo la mano, junta saliva entre los dientes, juguetea mojando los besos, quien me pide a cada rato una recompensa, mi guardián y a él estoy cedida. Y no sé de quién es ahora mi nombre, ni de quién me esconde, no resbalo de sus manos. La alfombra floreada representa un jardín, me inclino y tengo un estremecimiento. Con él puedo gustar el dulce sueño. Cansados tomamos un reposo, extenuados nos lamentamos con los quejidos de las aves acuáticas, una oscuridad bordea la almohada, cansadas las manos caen de los muslos. Vemos juntarse las nubes y ocupar el paisaje. Hasta la fuga de su voz, o su voz tan lejana como si no hubiese entrado, sería sólo la voz de las pretensiones iniciales; antes que me dejara caer el vestido, antes que desatara las cintas del vestido."

"Rama prolija entre unas telas, rodeada de carbones y cristales y arabescos insufribles. La toco, burlona que toca lo que no se debe, le hago un nido de mis manos, ¡oh pájaro de mi placer!, cuando me persuade una noche y otra. Y no sé de las miradas de él cuando acaricio su privilegio, cuando me convierto por sus anagramas y los ocurrentes deslizamientos, por lo cual soy vivaz como la angélica, así nacen mis flores blancas y las enrojecidas entre la hierba. Y no miro sus miradas condescendientes o descoloridas donde se trabarían mis pensamientos con los suyos. No quiero pensar, la luz es mustia y resaltan nuestras energías. Le doy almibaradas posturas con gentileza y garabato. Quiero ser otra, opulenta o guiñaposa, eximia, espigada, velluda, o de brazos plenos, dibujos que hablen por sí mismos, o volver a mi cuerpo decente sin señas, sin olores; cuando estoy deshecha entre las frutas que él imagina y en las que me transformo."

Estación con patinadores marítimos. Durante la tarde María Ilíaca ve las audacias deportivas de su joven cliente. En esta ocasión hay algarabías, arranques de entusiasmo, salvas, hasta silbidos insistentes. El cielo es de franjas azules alegres, atravesadas por unos pendones que fueron colgados durante la mañana. Hay movedizas aguas. A María Ilíaca doña Venus le inflamó el cuello; en esta fiesta náutica sus ojos son una línea, mira con atención, no se pierde un detalle; los pies descalzos de los hombres, los pantalones tensos, las cinturas duras, las bruscas manos. Ella tiene una sonrisa y una brizna de paja en la mano. Va también por las terrazas, frente a la rada, cerca de las casas donde se guardan botes y sogas, cerca de los almacenes. Piensa si por la noche traicionará a su muchacho en un baile amarillo, tan hermoso como es él, tan victorioso como ha sido, y por eso. Una débil causa. Las fiestas náuticas no están exentas de peligros. Otros muchachos pasaron orgullosos, cejas altas. Ella está envuelta en un paño encarnado, le sostienen los cabellos unos alfileres largos de cabezas de azabache. Ya siente unos latidos en las ingles, cuando recorre las últimas casas pintadas de albayalde. Nadie anda por allí, se suelta la melena. Unas franjas azules oscuras se ensanchan sobre la playa porque viene la noche.

Observaciones en un salón que tiene lámparas eléctricas, donde los patinadores marítimos se reúnen después de la fiesta náutica. Hay muchos hombres de pie, musculosos, sus movimientos tienen cierta violencia y rusticidad. Todos son de gran simplicidad interior y exterior. Comen buñuelos y se fortalecen con cerveza. Hay pocas mujeres, de pelos abundantes están sentadas en sofás. La criolla de piernas oscuras, camina entre los hombres, se pasa la punta de la lengua por los labios cuando ve los relucientes pantalones ajustados en la cintura, cuando adivina el hundimiento de los vientres resistentes de los atletas. Frases sueltas le rondan las orejas. "¿Quién hizo eso?, No es para aburrirse, ¡Diablos cómo se arriesgó!, Metidos en un aprieto, Un berenjenal, Denodados en audacias australes, Se dio de bruces, Liberté et patrie, Sin artificios ni muescas, Este día fumar no da satisfacción, Reglas para causar lo más pronto el mayor daño". Ella pasa entre los hombres sin rozarlos, aunque le parece que su propio vientre de goma se mete en los vientres huecos de ellos, que sus nalgas son aplastadas por los muslos de ellos. Va con los cabellos sueltos, como que espera con deseos. Los hombres están en sus ocupaciones deportivas.

Muchacha que piensa frente a un espejo: "Me quito joyas y broches, telas brocadas han caído junto a mis tobillos, como si fuera a entrar al mar; atrás él me mira con los temibles anteojos, entonces parecen espesos mis hombros y el recorrido de mi espalda. Tendría más audacia si él me apretara o zamarreara, pero todo el atardecer ha pasado como un príncipe lunático, sólo las puntas de sus dedos parecían tender hacia mi deseo, pero también sus piernas caminaron para cosas inútiles. He vagado destemplada, he supuesto; por mi ansiedad es cosa descubierta su ansiedad. En muchos rincones por donde no suele ir lo ha visto. Quizás esperó que el silencio de la noche aumentara la melancolía, que desaparecieran los chillidos de la costa, que las sombras fueran perfectas, puras en cada lugar. Se me ocurre otra aparición de él, en sus túnicas recamadas, o corazas dóciles, y botas altas de cuero; entre ellas espero el árbol que sube. He creído morir de sentimientos, sé que mis gestos desvarían, ellos piden más que delgadas imágenes. Ahora desvestida, no quiero que vea mis temblores, no se escucha el viento ni casi el rumor del mar, la noche me rodea de calumnias y desaires mientras él no se desliza por mis labios y dientes".

"Esta habitación tiene una ventana muy estrecha. La ventana puede recibir una sola cara de mujer espiando, no dos. Por encima de la cara de mujer pasa algo de luz, que disuelta en la oscuridad forma penumbra. Me descubro los pechos y él juega con mis pezones. Ahora la penumbra es caliente y algo amarilla. Primero las láminas de las paredes fulguran, pero después me olvido. Me arrastran las manos de él, que parecen entonar un murmullo. Me dice que hagamos unos tableaux vivants, cuando la penumbra es todavía más caliente y más clara. Mucha vergüenza tengo por causa de esa ventana."

La señorita Roselina está parada, mira por una pequeña ventana y piensa: "La señorita María Ilíaca es superflua, por la mañana llena de ojos ha mirado el mar. El automovilista ha de prevenirse de esa gata muy esclava. Raya la noche y todavía no han empezado, se van en floreos, juegos de buscarse las bocas. Lo mejor fue cuando ella tenía lo de arriba del torso desnudo, la ropa dada vuelta en la cintura, y cuando con energía se bajó eso aparecieron de un salto sus ancas. Ya está lista siendo toda para él regalo, para lamer lo que tiene ahora entre sus brazos. Lo que estaba en los ojos está en las manos. Y tocarla, como a una estatua blanda, de tierna, de tan que se va calentando, aunque las puntas y relieves estén aún fríos, pero las cuevas, escondrijos, madrigueras, ya calientes, casi hierven, y ella desmayándose llena de suspiros. Que él la tumbe, haga lo siguiente: la tuerza, la doble, la palmee, la apriete, la raspe, la alce, la aplaste luego, la muela, la sacuda, la agite, la empuje, la hunda, la estire, la abombe, la agriete, la penetre fuerte, y la encienda, queme, fatigue, adormezca, la llene de pensamientos de bochorno y súplica, de sorpresas o de raras imágenes".

Roselina da vuelta su cara y habla: "Este lugar es como una tabla que representa un prado, donde se suelen soltar, inmoderadas carcajadas, posturas indecentes, posturas de mérito, unos gritos de llamada, danzas y furor; temas preferidos por las mujeres de batas transparentes. En un día determinado una muchacha se ofrece a la vida airada, en un tiempo oportuno su cuerpo se enardece. Arrojó el sombrero, una vez desvestida tomó asiento en el sillón volteriano, las piernas cruzadas, su mente vuelta hacia el extraño. ¿Qué tenía ella en la boca?, ¿qué hace para aumentar los deleites?; una colección de caprichosas imágenes. En el cuarto su silueta es mejor que lo demás, ella se dilata. Cuando después sus piernas empiezan a cansarse, y queda exhausta por los besos, con profundos suspiros, o como muerta con el placer adentro".

Por la estrechísima ventana entran, arriba la luna, abajo la cara de la mirona Roselina. Una luna va por el cuarto y camina por el cuerpo de la muchacha criolla, desnuda toda. María Ilíaca ha vuelto la grupa hacia su hombre, así se da como hembra humilde. Y de rodillas se inclinó hacia delante, los antebrazos sobre la cama y las manos abiertas, aplastó su rostro contra la colcha, del pelo cayó una flor de seda. Los senos cuelgan, los collares derramados tocan su mejilla. Ofrece arriba las nalgas, silenciosamente. Atrás está el hombre ancho, del todo decir, la muchacha es el premio, el mucho gusto de la noche placentera.

El automovilista es el asiduo, la criolla tiene el temor y la espera, por unos reconocimientos que se suceden, por unas sorpresas y equívocos. Demasías en las que ella se ve perdida. La muchacha recita en voz baja, con ligera melancolía, su nariz abierta al viento picante:

"Tenía pechos en la tarde, ahora tengo los dos pechos en la tierra. Por eso él me dice puerca de la tierra y usa mis caderas. Y a él yo le digo que es oro de hojas muy sutiles, que es muy fino y subido de quilates, el excelente en su línea. Pájaro de color amarillo vivo. Él que es de figura destacada usa mis nalgas y me dice, puerca de la tierra. Me empuja de atrás hacia la tierra. Mira mi espinazo bajo que se retuerce como una ola."

"Ahora que estoy sin vestido, que me hace sostener una escalera contra un árbol, el cielo es de cólera, de sol y de nubes parecidas a gallinas. Puede decirse que sus órdenes son completas. Antes, obediente me vi yendo con el balde, con el fregador, con ramos de canela, teniendo el pequeño mortero sobre mi delantal, arrimando la cesta de habas, dejando la costura sobre el mimbre. Suelo verme en los acuerdos y en mis asombros. Todavía si hay brisas cálidas por las noches hago en el jardín lo que debo hacer para él, porque en este tiempo el césped es agradable y seco, los setos son altos, la casa es silenciosa. Pero ahora un sol intenso de siesta ilumina lo alrededor del árbol, desnuda no subiré por la escalera ni él se quedará mirándome desde abajo. Que él no lo desee."

"¿Puede ser mi pedido, tan pequeño como es, tan frágil como sale de mi boca? Cuando él me tiene me impulsa a gestos, me forma y persuade; mis voces son para música no para palabras, tengo manos de ofrecedora de comidas, pies de sigilosa, duermo durante sus ausencias y luego mis ojos están atentos igual que en una selva peligrosa. Me deslizo, me dejo manosear, y él despeja, pone su azadón para hacer un canal, riega con agua que calienta los terrones. Soy un jardín donde él camina, mis dedos son brotes, se ensortija mi pelo. Mis recomendaciones y pedidos son tan pequeños, salen de mi boca frágiles. ¿Cómo es su alma que no recibe leyes?"

Noticia sobre tropa buscando un desertor. Se ha visto un avanzar de soldados; algunos en actitud de hacer fuego, otros tienen armas en banderola, son hombres convencidos, con todos los detalles. Vienen acompañados de un maestro tirador. Se temen detonaciones. Se dicen tales cosas y los avisos producirán resultados. Vista lateral de soldados apartándose hacia lugares, que llevan pantalones de paño verde y correas negras, que bien pudieran dibujarse en croquis con carbonilla, duros y desarreglados. Aunque de cerca son motivo de cierta admiración. Para verlos, en el puerto ha crecido el populacho, estupenda procesión a las cuatro de la tarde. Por las ventanas de las casas asoman caras abrumadas de curiosidad. Pero el buscado se fue, varios automóviles se fueron. Y la noche viene a las lomas y a las ventanas. Los soldados se marchan en columna, como inocentones, pasan delante de La casa de ilusiones, pasan delante del galpón abierto donde hay un tílburi color de lacre. Ahora está ahí la muchacha criolla, abandonada, haciendo ademanes tristes.

María Ilíaca sabe que su hombre se ha ido. Quizá él saltó a un automóvil torpedo de gran porte. Quizá se marchó por un camino de la playa. Se fue antes que la noche viniera a las lomas y a las ventanas. Se fue rápido de propósitos, con sus atuendos y gafas. Ahora quedó ahí la muchacha criolla, abandonada, al lado de un tílburi sin caballo, hablándose un repertorio de palabras fatalistas. "No regresará. Me dejó así, todavía muchacha sentada en la cama, en el borde, las nalgas sobrealzadas, los muslos un poco aplastados, las piernas que cuelgan, la blusa un cubreapenas los hombros, los pechos rosas, y ardores por las mejillas; estuve chalada, absorta por un centavo de sol entre las cortinas. Porque él se fue seguido de la nada. ¡Ah, su bostezo!, su astucia sin echar miradas al sofá y a la cama, su silueta luego apoyada contra la puerta. El tiempo del último amor estuvo silencioso, más hondo, me aquietó como a una perra mansa; yo arrancaba pocas frases, él, ni escucharlas; me empujó para un lado y otro, ni verme el cuerpo, ni las posturas que tanto me afligían."

"La noche adormece, en las copas no hay vino, tengo dolores por las piernas, y resabios; quiero revolverme entre las mantas, apretar la boca sobre almohadas, echar círculos de babas, quizá levantar la camisa y que me refresquen brisas lo que es mi calentura. Pero no está mi hombre mirando estas revolcadas, ni en alucinaciones. La falleba prolija de la puerta está quieta, rodeada de vacío. ¡Cómo está mi talante de apagado, cómo mi traza de apenada!; ¡ay, mis brazos con sudor, la lengua agria, qué aliento de alcohol, qué voces mías desconocidas! Cuando él ha sido lo mejor de todo, el que me miraba de hito en hito, así me embellecía y envolvía de vergüenzas, me embellecía y llenaba de humillaciones, me miraba y repartía sus manos. Pero ahora está en la línea remotísima donde mis ojos no lo ven, ahora mis ojos se velan de lágrimas. Que están helados los que fueron amorosos dragones de fiebre. Aunque la noche quiera guardarse en unas ternuras."

"Estoy al lado del balaustre volcado hacia el mar, en este aire demasiado enérgico para la intimidad de la tristeza, sin embargo miro los caminos que desde la playa suben sinuosos por entre los remolinos de arena y en uno de ellos, ¿cuál?, se fue su alma imborrable y desconocida para mí; acaso se metió en lo sangriento del sol de ocaso, él que era un sol sin dudas, se habrá ido como si regresara a una casa natural. Ahora me pongo viciosa por lo gris, por lo austero, por muchas horas de lamento donde oigo mis palabras impensadas, sostenidas nada más que en los sonidos, antes de caer perdidas, y miro la cama ajada y de nuevo afuera el oleaje inútil y los escrutados senderos que ya no tienen los perfiles de él. Y el sol, y él se fue, se va del último acantilado, cuando otra vez el viento hará por llevarme hacia el cuarto para que titubee, ya como una ciega malhumorada entre los muebles."

"Ha ido tan lejano su aliento…, habrá atravesado ese espesor de olas, a más pudo llegar, hasta donde vientos comedidos empujaron sin reposar el ahuecamiento de las velas y solía ser dulce su cuerpo, su figura que melló mi pesar saltó hasta la tierra donde hay un labrador que mira el crepúsculo, pero muchos espejismos he puesto para que vuelva, todavía torciendo midió el viento cuando dobló la roca blanca y siento su abandono, tan como aliento venía el sol en esta época, no era lejana su figura, un hierro en la arena, cuando solía ser él dulce y rojo entre las espumas donde el agua lanza el asalto y dormíamos antes que amaneciera, su cuerpo más dulce donde yo arrastraba los dedos sin marcarlo como a veces las caricias en la arena donde él un hierro fue lejano, y me llenó de pesar en la costa de aristas vivas cuando dobló su figura detrás de la única roca blanca porque dobló aún las rocas verdes lamidas por la marea, y no podía temprano ver con mis ojos vidriosos."

En un ocaso frío María Ilíaca está caminando a lo largo de la playa, no acompañada. Del mar saca prolongadas imágenes, expresiones erróneas, lo perdido y lo vivo mezclado. Habla en voz baja una conversación habitual. "Quiero que vuelvas y mi cuerpo te llama, a toda hora se van mis sentidos buscando, amigo, que eras de piedra y sarro y venías a mis modos. Aquel claro tiempo hoy es marrón y las olas apresuradas traen del horizonte lo turbio; arrastro lo arenoso, el aire raspa mis costados, las manchas pardas hacen estrépitos en la caleta rocosa, me detengo, el mar ya no es famoso, la costa sin gritones, y las olas que vienen con rumores no traen un espíritu sutil para mis ojos. No digo más, otras palabras mías son secas."

TRICICLO

Continuación, con las aventuras de la negra Honorata Pelagia, que saltó por la ventana de una barraca de soldados y huyó hacia unas colinas, después que sucedieron las terribles explosiones del cuartel gris. Relato sobre la fuga, llena de incertidumbres y situaciones peligrosas, de escenas reales o vislumbradas, con descripciones de lugares raros donde ella apenas podrá resguardarse, y por desoladas rutas donde correrá igual que cierva de movimientos ágiles. Veamos cómo se encuentra primero con un grupo de personas reunidas para recreo en un bosque.

Momento en que gente de la Compañía Abajeña se recrea en un bosque de espumosos talas. Cerca se ven matorrales de mimosas, lejos hay espesura y sólo hilos de luz. En un claro están los bulliciosos; hombres y mujeres con piernas alzadas porque bailan, otros apiñados con las bocas abiertas porque cantan, hay niños bajos con tambores entre las piernas y los palillos en sus manos levantadas para golpear, hay trompetistas altos de perfil sosteniendo las trompetas y deportistas perplejos en el acto de tomar las bicicletas. Parejas silenciosas caminan en huecos entre plantas; algunos que se toman de la mano y parecen pasearse gravemente. El suelo es muy sombreado. A un costado varios perros disputan por un trozo de carne, tienen los colmillos agudos, los belfos hinchados, los cuellos estirados y las colas rígidas. El cielo se entrevé, con nubes teñidas de violeta, porque declina la tarde.

Canto de Honorata Pelagia a los paseantes del bosque:

"¡Oh! ¡Oh!, la máquina estalló, como la clava de Arnulfo cubierta con piel de puercoespín, igual a rayos. ¡Oh! ¡Oh!, el estruendo subió, cuando arreciaba saltaban los ladrillos y los abobados, hasta la anochecida hacían pantomimas. ¡Ay! ¡Ay!, el fuego trepó, lanzó pájaros de gran envergadura, rápidos. ¡Ay! ¡Ay!, las casas se desbocaron humosas y hueras, después eran covacha y enredos. Cuando así fue se sentaron las mujeres livianas, hablaban; he aquí los colores para nuestras mejillas, desde los jardines miramos las que no son más habitaciones ni teatros. Cuando se sentaron las mujeres para ver, y olieron el fuego, un fuerte perfume, como los olores imaginarios de las gemas y las columnas esmaltadas."

En el cielo austral asoma el verano, y la araucaria imbricada de tronco recio extiende mucho las ramas horizontales. Entre círculos de frondes de grandes helechos está de pie Honorata Pelagia. La luz le cae en un hombro y lo hace brillar. Pero su rostro está oscurecido. Su delicado rostro sale de los troncos negros. De lo más silencioso se recorta en la floresta. Alguna brisa mueve las hojas y el vestido, tan liviano. Por ese movimiento sabemos que ella no es un ídolo femenino marcado en pizarra. Imaginamos que hará gestos de buen tono. Parece que ha seguido el curso del río, pintoresco y arbolado, que atraviesa la sierra húmeda hacia la sierra seca. Parece que la gente la ha dejado ir sin hablarse, sin preguntas, sin dar luego noticias; porque no se hace traición a una fugitiva. Ahora la luz está más arriba, cuaja la floresta, los verdes resplandecen. El cuerpo esbelto de Honorata Pelagia está como adormecido, menos la nariz que aletea, igual que en los animales prudentes y astutos.

Nieblas vagabundas en el monte. La prieta vestiría blusa corta hecha de placas metálicas, llevaría una canasta con iguanas anaranjadas y colas ramosas. "Pelagia, no vayas al pabellón de vidrios, casa que tiene animales de hocico largo. Debes girar y que tu sombra bajo el sol sea otra sombra, vuelve, que las sombras se estiren porque vuelves. O te quitarán los metales de tu blusa para colocar puñales, pues allí están los familiares malos. ¡Que los hay, que los hay!" Las voces muy delgadas y apenadas vendrían de las bocas de las iguanas y de roces en los ramajes. ¿Quiénes atisban debajo de unos sombreros anchos? Igual para ella son los charcos y los caminos, no atiende a las voces, fiebres efímeras. No se ocupa de unos búhos blancos sobre unas chozas, ni de las bolsas con ratones, ni de puños de caucho atados a espirales agazapadas, ni del aparato lanza piedras escondido. Ni de que bajen ángeles con cascos repujados y le hagan señas de no con los dedos, ni de unos jarros de barro cocido silbadores, ni de las higueras agitadas, ni de los chuchuleos. Ni le importa que una vaca se acueste para tapar el sendero. Ella tiene piernas celosas y rápidas de langosta saltarina, mueve los brazos remando el aire, maniobra suelta. Entonces lo demás queda boquiabierto: los pájaros que están en unos peldaños, el mendigo de atado, palo y despojos, las mujeres de risa loca de las cuevas. Los monos hacen cadenas de monos.

Atardecer con una negra mirando un estrecho estanque, donde se refleja con temblores un pabellón octógono de vidrios. Sus pensamientos arrancan del paisaje, vuelca su cabeza sobre su hombro. "¡Qué silencios amplios, cuánto se ha extendido de oscuros el monte! Hay tamaños de piedras y parecen rebaños inmóviles, el quiosco surge y la cúpula es un almiar; dos pájaros caranchos miran; abajo unas matas bordean una charca, las muchas, matas descoloridas, como gatos anonadados, gatos de arcilla, simulados, infelices allí, sin tino, quietas unas matas hunden ramas en el agua; en los pliegues de agua la cúpula se pierde, la manchan las hojas moradas. Todo aquí y allí tanto árbol da sombra que los suelos y los troncos se llenan de musgo. Va a caer un crepúsculo."

Interior del pabellón de vidrios con una negra amodorrada. Echada entre figuras de perdices que salpican el pavimento de mosaicos. Ella tiene tapetes de flecos sobre la cabeza. Las ventanas altas y verdosas la observan, el follaje exterior filtra la luz y nimba de tonos débiles. Hay una mesa de pies leoninos sobre cuyo mármol están cuencos, cubetas, cosas femeninas, pectorales, pendientes de marfil, collares de cuentas cristalinas, fíbulas y alfileres, en desorden. Honorata Pelagia mueve suavemente las pestañas, sus pómulos son malvas. Despierta y pone interés por algo suspendido que no reconoce, aguarda preocupada por la nitidez, piensa en nombres, en cualidades. "¿Qué puede atrapar mi alma? Aquí están unos asuntos representados, aunque mis sentidos temerosos quieren apartarme. Están los mosaicos que cuentan hazañas, está un presidente coronado por la Gloria, unos combatientes que marchan en fila, como tan lejos, unas parodias. Está el motivo de la mujer salida del follaje, la que sale de su vitrina, me mira con los ojos carentes de iris, debajo de una papalina; viene por ese pavimento de escenas, chiflada; ataca su imagen, me mira para que yo sea su copia, con toda realidad me encierra en un tamaño original, ella que dibuja las cosas como si no fueran."

Tránsito de una negra de ojos brillantes; riela en su boca. Entra en un sembradío con higueras y espantapájaros. "Los muñecos de paja no me hacen cumplidos, tienen paja que les sale desde la barriga y desde los pulmones por las perforaciones de los trapos. Cajas sin sonantes. Con chorreadas suciedades desde las narices y bocas. Imploran con pocos dientes y muestran las direcciones por los brazos de haces, se bambolean en este aire y son unos danzantes de mitra, torpes; sorprenden entre las plantas. Reciben la luna azul, la misma que logro apretándome la cara con las manos frías, porque los dolores me aflojan el cuerpo, tanto que desearía sostenerme con estacas. ¿Pero quién muele café para mí?, ¿quién golpea ya las cucharas?, ¿quién me reanima? Los chorreados espantan sin gritar, por sólo su gemir en las axilas, pero no son ni espantajos ni espanta hombres, ni estúpidos de comedia. ¡Oh!, mirándolos olvidé el impulso de mi caminata, pero retomaré, sin vehemencia soy lo mismo que una vieja de paso lerdo, entretenida con mis propias engañosas palabras. Acaso muriese en estos lugares. ¿Podré sacarme adelante?, no tengo la ropa que resguarda ni están las compañeras para los planes de fuga, para alivios; sin caso. Éste es un paraje abierto, en el cielo hay estrellas agudas pero ellas olvidan a Honorata; cuando vengo a ser igual que esos enzarzados. Ellos se están como animales seductores y ponen los brazos de heno encima, no debo juntarme a uno en cierta posición."

Escena de los frotamientos de una negra sobre la única pierna de palo de un espantajo. Cuatro muñecos plantados en la tierra roturada y otro alzado en una higuera la miran. La luz de luna que llega es un regazo, forma un valle en el sembrado. Honorata Pelagia se levanta la falda y sostiene el ruedo con los dientes. Así descubre su lisura y menoscabo de mujer; aparece entre los muslos tensos y en sombras, la mata de su monte. Con párpados de sueño se echa al cuello del muñeco y frota su mejilla malva contra la cabeza de trapo torcida. Se esparce el polvo que abrigaba al muñeco, tiemblan los ramosos brazos. Salen pétalos de aliento de la muchacha. Entonces coloca uno de sus muslos atravesado sobre el espantajo, se aprieta sobre ese estandarte que no se derriba, se estrecha, se restriega contra él, a veces hace choques de vientre. Hay cadencias, vaivenes de lanchas en río agitado. Y la paja cae derramada. Hay alboroto de ramas que se rompen y de lo mullido. Desde lo insoportable y el asedio de ideas obscenas y el jadeo, ella pasa a los profundos suspiros, al goce. Cuando las brisas ya no le refrescan las ingles aunque encorvan los tallos flexibles de las plantas, y las mariposas se encrespan, y se levantan las hojas hirientes, uñas secas, moradas. Mientras ella se suelta en sollozos rodeada de los hombres velados. Cuando ya no la dejan las visiones.

La naturaleza ha puesto en la afligida incertidumbre y direcciones que no conducen a una salvación. La luna está en el ascenso y alumbra menos que un sendero, apenas una rastrillada que va entre yuyales y chaparros. Los suelos están en la penumbra turbia. Ella vería lava viscosa por unas eminencias y unos volcanes enanos o chozas de argamasa, quizás apartadas quemazones de pajonales. Nada se detendría en sus ideaciones. Aunque trata de quedar en el lado imparcial o pasivo, hace rato que nota el aumento de nervaduras en las piedras como si fueran enormes hojas caídas. Y ve un bagual con un astro en la frente. Un caballo hace corcovos, una vaca va a ser atacada por un gato montés. Quizá haya estatuas rotas en posición horizontal. Ella distingue equis clases de equis animales; un repertorio que enumera sin facilidad. Reanuda su parpadeo, todo es neblinoso, en las huellas tiza, tiza; sin embargo a veces cruzan serpientes de hermosos colores.

Su corazón roto este día, herida de amor propio; todo sale mal, y marchó bastante cuando el sol pegó duro y lastimada se toca partes, pone las palmas de las manos en los costados para darse ánimo breve, como si espoleara sus ijares, y avanzó cansada, a veces se sienta en una piedra para reposo corto pero tiene premura, por no quedar en el sitio anómalo donde el cielo es olla caliente y el piso cuarzo y guijarro molido, lugar áspero de vegetación medrosa, y le escuecen los ojos aunque atrás quedaron rellanos para cultivo, cuando adelante ya se forman montañas. Allí de nuevo sigue su caminar por no quedarse estúpida. Después aparecen canchales y la tarde se oscurece, pero llamean hogueras lejanas. A veces hay casas torvas en bordes de ruta. Los lugares son callosos, nuevos, acaso propicios para cacería, y se concibe su miedo y que se sobrecoja por los profundos silencios o que se sobrecoja por el zureo brusco de unas palomas; tan sola como está, que todo salga bien engendrado espera, que venga el brujo bueno y la abuela de los remiendos por esos caminos.

Honorata Pelagia entró en la tierra seca: había laderas horras casi verticales quebradas por torrenteras. Entre grandes silencios. Entró en una ancha caldera fría, pedregosa, manchada de cenizas, surcada por trochas duras. Tenía acentuado un gesto de caminar con esfuerzo, se hallaba excedida. Andaba con sólo índices vagos de no tomar en cuenta. Todo le era ajeno, eran lugares sin cabañas, había sólo unos nidales abandonados. Y separada de los pensamientos. Por eso abrió la boca, luego lanzó un grito herido. Levantó vuelo una bandada de murciélagos bermejizos con hocico de perro, pasaron rozando promontorios. Fue un aullido de los nervios, un estrago salido de su pecho, que después se volvió lastimero y débil, cuando reaparecieron los pensamientos como hondazos.

"Son los pájaros que aletean y no se ven; vienen de la serranía hacia mi espalda, me cuentan secretas conciencias de las piedras de costra verde, ensombrecidos pedrejones enlazados por bridas, y de los que forman bóvedas sofocantes habitadas por lagartos, pero fatigan por el número los pájaros adversos de amplias alas, de envergaduras, tremolando, repercuten, enconados sobre los rescoldos, los trozos acartonados, y van por donde los cráteres abundan, esos conos agrietados, de lodo, de cuarteos parecidos a los de la corteza de pan, de donde se lanzan penachos de vapor; cuando una exhalación cruza un penacho; ¿qué guirnaldas de azufre se sostienen, qué fulgores sanguíneos se desprenden?, los pisos retiemblan, ¿qué ruido son de caballeros empeñados con las tinieblas?; son los espíritus incompletos que se levantan para dar voces, o afirman rotundamente: que tenga yo paciencia."

"Son los animales que devoran; propios de esta región se mezclan con las mujeres, porque así lo dicen algunos con torpeza, y están en sitios retirados, en temidos escondrijos roen, florecientes empiezan a salir, idénticos siguen luego los cursos de los caminos, porque las precauciones han disminuido; cualquier tradición cuenta que es así a causa de las mujeres; son las historias de animales que caen pesadamente sobre las víctimas, sudorosos se mezclan con ellas, son unos ardientes que rondan en los pastos altos, ya los veo desde la canasta grande donde me puse, hecha de trenzas y túnicas de cigarras, y enseguida desde aquí, desde este árbol, elevada vigilo las apariciones de los hombres animales de pelambres verdes, el paso escondido de esos mezcladores que necesitan presas vivas y sangrantes. Son unos temibles, chocantes, que aprietan los pomos de cuchillos."

Viaje ingenuo de un cazador en un triciclo azul. Mientras se escucha a sí mismo decir: "Con miradas hago campos, los extiendo más allá de cinturas, murallas, fosos, vallados, postes telefónicos, lejos; con el triciclo de motor que tiene la gran bocina y es apto para recorrer lugares, voy por carreteras dudosas como ésta, que ahora se ha puesto lila. Pues los engranajes son sin herrumbre y los rayos de las ruedas vibran pero no se escuchan quejidos porque el aceite señorea por las piezas de la máquina. Me siento feliz, mis posturas son desenvueltas. Hace un rato vi una locomotora de humo sedoso que arrastraba muchos vagones, anuncio de buenos vientos. Así, de este modo, soy un pintor de los paisajes, un intrépido viajador de largos bigotes y polainas apretadas, pensando en la merienda y en posibles muchachas reclinadas en la hierba". Dice y hace un tiempo de marcha. Pero llega a espacios desconocidos. Entonces desciende del vehículo y, algo perplejo, empieza a caminar por un pedregal.

Las exploraciones del cazador Hipólito Galantini en las tierras nuevas. Donde el viento le hace ver el paisaje igual a gelatinoso, un paisaje de cráteres bajos cubiertos de una capa móvil ennegrecida, vapores sulfurosos centelleantes y grietas que palpitan. Las arboledas están inquietas y aparecen en vuelo cúmulos de insectos. Hay unas rocas anchas que simulan caras con deformaciones y aplanamientos, labios estirados y risas sardónicas. Él siente unas trepidaciones en las botas y escucha ruidos bajos, subterráneos. El cielo se entenebrece. Parece que en estas partes hubiera habido un mar; por los suelos secos, entre guijarros, hay conchas violáceas, conchas turbinadas, nacaradas, caparazones erizados, ambarinos, valvas en forma de pierna de hombre, y las grandes tridacnas.

Un cazador que va por terrenos raros percibe temblores y rumores. El cielo se hace de tinieblas sobre la sierra. Entonces él anda opaco, dando varazos a sus polainas, continúa por una senda en un herbazal. Donde corren gallos que buscan cubrir gallinas silvestres, donde andan lentos pesados comedores de plantas. Y el viento cambia sus direcciones a cada momento, los arbustos oscilan, parecen anemómetros locos. Él camina vacilante sin aclararse detalles, le pesan las piernas. Cuando de repente, vio una mujer negra en la copa de un árbol grande; la ve poco vestida, no hay fin para su hermosura; está en postura abierta, sus muslos sobre los hombros del árbol. La imagina como una libertina, una andorrera, la ve ensimismada en un otero, la ve echarse un brial de tela rica y con broches y adornos. Es una figura desenfadada en una nube verdosa. Al cazador la boca se le cubre de espuma, él puede ser un potro que resuella, puede tener uñas enormes, puede ser un animal exasperado por las espuelas. Es solamente una persona de oportuno coraje. Y se va apartando.

Círculo de cacería: avanzadas para alcanzar el sitio dispuesto donde se empieza el ojeo. Indicación que se da haciendo un disparo sin munición. Los perreros animan a los perros bracos. Rompen la marcha y cada uno recorre con la vista el terreno del frente y de los costados. El director de las escopetas queda en un extremo y los cazadores se van ubicando hasta formar una media luna. El director calcula el tiempo de colocación de sus hombres y hace señales con la mano, ellos también las hacen cuando asientan sobre el paraje que les toca ocupar. Ojeadores atildados, flacos, de narices largas, que miran el suelo en momentos de descanso. Escopeteros callados, de trajes todavía limpios, algunos tienen botas hechas de pierna de potro. Enlazadores inquietos. Llevan morrales, cuchillos de monte, palos y hondas, también tiendas de campaña. A veces por los accidentes del terreno los cazadores no se ven unos con otros pero se avisan, de tiempo en tiempo silban y tiran piedras a los matorrales. Caminar constante. Se hacen repliegues sobre los lugares donde hubo disparos. Se darán con igualdad las voces de, ¡ahí va! Debe golpear el viento en la cara a los ojeadores y en la espalda a las escopetas. Esta caza no es chuchería, no es sólo arte de cebadores y trampas; hay mujeres que usan inesperadas artimañas, hacen escapadas, engañadoras y ariscas, pueden defenderse con tremendos animales. Dos hombres se suelen emplear para perseguir y cerrar el paso a la misma presa, como en la caza del ñandú.

Velomotor azul que monta el señor Hipólito Galantini, director de escopeteros: es un triciclo Victoria Naumann, de los llamados sociables porque tiene dos asientos. Lleva motor adaptado. Las ruedas posteriores son motrices y la anterior directriz. La armadura de reunión y los salvabarros son de color azul. Las empuñaduras tienen una separación de 60 centímetros según lo aconsejado en el escrito Los Compañeros de Pedal. El freno es de doble fricción y el avisador es una bocina con pera de goma elástica. Otro instrumento es un cuentakilómetros standard. Ejes, rayos, llantas, pinas, todo reluce. Ahora detrás del hombre y su máquina hay un dibujo de nubes algodonosas, de lejanas peñas, de cabañas con techos formados por hojas de palmera. Unas campesinas de polleras amplias huyen para refugiarse y se tapan las orejas para no escuchar los zumbidos del vehículo. En un costado los postes telefónicos persiguen al camino vecinal. El cazador no quiere que todo se vaya en nadas, busca la hilacha de la mujer en algún aspecto que no armonice con el paisaje.

Un triciclo azul impulsado por el motor animado, de bellas partes solidarias. Es estable, no tiene deslizamiento lateral. Resplandece como el sol sobre las micas. Sus ruidos son como de cantos rodados bajando por una ladera. Los avisadores, suenan por aire contenido. El golpe de los pernos suena como pájaros del ocaso. Saltos y cadencias entre las piezas facetadas. Todo da lugar a un buen sport velocipédico. No conocemos el conjunto de las historias, proezas y conductas durante el recorrido, aunque no faltarían datos. El señor Hipólito Galantini es hábil, mira con brusquedad y puede combinar las dudas con el movimiento. Tener esa máquina es tener la gracia de las formas nuevas entre los brazos. Los perros lo siguen, mientras pasa al lado de los murmullos de la floresta, de las canciones de la brisa, del croar de las ranas, de las ramas rebosantes de pájaros. Las luces se estimulan unas con otras, aunque las decepciones pueden atravesarle el estómago.

Recolección de frases sobre terrenos. En el día acaban de ocurrir los sucesos referidos. Tierras arcillosas que originan esteros alternan con extensiones de arena. Zonas anegadizas. Estanques palustres. ¡El retorno a la mugre! Pampa deprimida y valles fluviales. Río enzanjonado y luego de curso sinuoso. Unos sectores abarrancados. Jardines aluvionales. Bordeados de jarilla, paja vizcachera, cebadilla, paja brava. Cruzaba un campo feraz lleno de chañares espinosos. Decoraciones de yedra, de loros y catitas. Vuelo de chingolos y gorriones sobre la alfombra de arbustos. Suelos violetas, escasean los suelos pardos. En un lugar protegido, primera observación de una mula con arreos. Grupo de vaca y becerro semejante a cerámica pintada. Piedras con rayados figurando serpientes y cabezas de carnero. Hay mucho amortiguado y suprimido. Casa de campo que fue habitada, casa destechada. Reproducción exactísima del estado actual.

Unos terrenos traga Honorata Pelagia, para evitar a los cazadores. Trepa, resbala, recula, corre a menudo, camina apresurada, va entre espinillos. Es una negra clara y detrás las tierras labrantías son glaucas. Evita una plantación de maíz, entra en un monte. Negra más oscura. Hay huellas de chanchos salvajes, los grandes vegetales se ofrecen amenazantes, el sol cae y echa lanzas, sueltas, desarregladas entre el follaje. Honorata corre flamígera. Después de ocultado el sol corre vaporosa. Siente su corazón triangular que late fuerte, le golpea y ella pone su mano sobre el pecho para aplacarlo. Un pato corpulento la sigue a varios pies de su cabeza. Ella tiene puesto un vestido rojo con lunares blancos, que resiste al sol y a la lluvia; parecen no resistir las telas de su corazón. Imagina a los cazadores perseguidores con pesados fusiles, quizá cortas carabinas, tal vez azagayas empuñadas o aceros en forma de pescado. Piensa: "Puntas con las cuales pueden ensartarme y hacer girar, igual a un pelele. Pero ahora entreveo el semicírculo de hombres, escucho las voces enronquecidas, los ladridos; se escurren sombreros de fieltro con escarapelas, se encienden luces iniciales. Pero soy rápida y puedo meterme entre los algarrobos, mientras extiendo la mano contra el grupo horrible y hago la higa. Oigo el rechinar de un triciclo".

Pensamientos del director de las escopetas. "La noche me separó de los cazadores por lo que, apartado, este amanecer todo derivó hacia lodazales. Queda todavía una bruma baja. Mis dedos parecieron helarse por las uñas y en los nudos de los huesos, también mis párpados estaban fríos, las cejas escarchadas. Pero en este momento ando con la mejor máquina, llena de prodigios, una gloria de Dios, y es mi gusto meterme por atajos y escondites, basta erguirme sobre el triciclo azul para explorar a diestra y siniestra, buscar en las transparencias de la maraña, fijarme en posibles indicios con provecho. ¿Será ésa una mujer ágil?, ¿ajamonada, caderas formando arcos, cintura flaca para ser tomada, pechos rosas, acaso de maneras burlescas? Ella es lista, no imprudente, hasta ahora no he vuelto a verla. Sabe de disimularse, agazaparse. Ahora apareció un pato a pies de altura, insistente en andar allí. Un diablo anheloso me toca los ojos, me enervo, porque una sombra no se mueve hacia el mismo lado que las sombras vegetales."

Más pensamientos de Honorata Pelagia. "No me quité el vestido que ondula, que así es como una bandera para avisar a los malos. Con las manos iguales que para un rezo empujo la parte de falda entre los muslos, odio al viento porque sostiene un enojado pájaro sobre mí, porque deshace cualquier compostura de mi ropa, de mis pelos, que me toquetean las orejas y enredan la vista, cuando estoy cansada por tanta nerviosidad del aire y mis piernas pierden equilibrio, piso guijarros, enseguida me rodean pastizales, espinos, siendo yo misma una maleza vapuleada, o saltamontes tembloroso mientras amanece, y sí veo un triciclo azul montado por un cazador verde, pero los demás se fueron atropellándose entre alborotos, choques, resonancias, están distantes para que no les sirvan los catalejos, ni las subidas a los postes, algún espíritu echador los hizo rodar, barriles cada vez más pequeños, hasta lo mínimo de unas hormigas. Pero el solitario ya viene y ya lo veo grande como de un codo, se aproxima con vehículo social y elegante de tonos azulados y cubrecadena y ruedas altas, comparable al de los jóvenes deportistas, a quien admirábamos nosotras, las muchachas, que veíamos a esos relámpagos de júbilo pasar por las calles. Ya podría lanzar mis brazos hacia arriba, hacia el pato que me denuncia, dejando desplegar mi falda y que mi cabeza sea un carretel de cabellos, dejando que se apodere de mí éste que ni en ficción es un dulce deseado como aquellos que nos asombraban; porque éste puede ser un zafio, un extravagante, un aborrecible."

Más pensamientos del director de las escopetas. "Mañana temprana y refracciones; veo a una negra menuda que se toca las sienes, enseguida suelta las manos con dedos abiertos tensos. Habrá hecho sus recorridos miedosa, ahora seguramente lleva su alma quebrada. Se agita su vestido bermellón por el viento y hace enganches en las ramas. Ella gira, asustadiza felina trata de ocultarse, si estuviera desnuda se confundiría con lo terroso y podría perderla y no me gustan las ironías. Cuanto antes debo flanquear a la vivaracha. Ojo atento. Me altero, mi estómago parece oprimido y lleno de fibras, me incomoda la carabina terciada, vuelan en parvas mis ideas. La muchacha singular se despintó. Ahora es una desaparecida entre unas hojas grandes, actúa como víbora."

Honorata Pelagia quiere darse ánimos. "¡Que el cielo eche mantos!, que en vez de bichos de zumbar vengan animales cavadores para hacer huecos escondites. Si lo nublado se desbarata el sol brillará en el color de mi vestido y hasta en mis párpados y uñas, si viene un nubarrón las cosas de la tierra se verán cenicientas y nítidas y yo quedaré negra muy destacada. Porque mis mañas y disimulos se empobrecen, se acaban las garantías y me sigue el hombre que será de verrugas y juicio de piedra para mis razones, un cachondo, o un flemático, o perverso. Que su arremetida vaya a un derrumbadero, que raíces filosas le hagan zancadilla y dé de boca al suelo, y el sol le caliente el cerebro, lo vuelva un babieca. Y el fuego de San Telmo se le venga encima, más ochenta pies de torre. ¡Ay, negrita, ay, negrita envuelta en hojas frescas!, de espíritu bueno, y muy buena y no como las disfrazadas de hombre, tal vez el cazador no te tocará, te cuidará con palabras, hablará de una con sal y amorosa, apenas te alisará la melena."

Embestida, o golpe final de caza, similar al de un depredador. A causa de la furia del señor Hipólito Galantini, se verían sus lenguas internas y ardores lamiéndole lo más delicado de los órganos, las finas mucosas, lo precioso de su relojería. Son de temer: su rostro arrebatado, a pesar de la placidez que induce el bigote lineal horizontal, delgado en los extremos; sus manos duras y enrojecidas, a pesar de los manipuleos sagaces; sus voces y fuertes expresiones jactanciosas, cuando sabe que enseguida recogerá el fruto; la pasión de los segmentos de su cuerpo, cubiertos con ropa de tela inglesa de lo mejor. Uno casi se maravilla pensando en el pulimento de las piezas del triciclo y en los sonidos broncos del motor, en la oquedad rectangular donde se encuentran esos engranajes diversos, palancas, ruedas dentadas, elementos metálicos encajados perfectamente y lustrosos de aceite. Hay una pincelada durable en el contorno del hombre y la máquina, hay ovillos de humareda desprendidos atrás, y rasgos paralelos dejados por el sendero.

Captura de una negra en paraje deshabitado. Allí los vegetales llamativos se desgarran, se tumban sus ramajes. El pino misionero se inclina, la caña fistola es estrangulada por una planta parásita. El sol ha subido como una bala incandescente. El director de cazadores Hipólito Galantini, con su cara de combate iluminada y expansiva, tiene la mirada precisa sobre la muchacha. Ella está detrás de una cicuta manchada, parecida a una esclava de cosecha, los pies embarrados. Momento en que el cazador erguido sobre su vehículo y bastante torcido el busto, se diría asomado al aire, con las seguras manos de huesos recios sobremontados de gruesas venas, lanza una soga algo alquitranada. Se ve el lazo abierto y volando en el cielo. Abajo, la negra fija cubre su cabeza con los brazos en la posición de Venus Anadiómena, y el vestido se muestra abundante de pliegues que se inclinan y representan la agitación de la tela.

El paso del cazador y su presa. Para el cazador, es ademán de orgullo, río de sueños ufanos, ya piensa en otras ocasiones, en meterse de nuevo por lo desierto, en círculos de montería, y no es ligereza la suya, no hay más que mirar atrás, a la barroca y achocolatada muchacha que trae, un poco suspirante y estupefacta, de dorados reflejos en la piel tersa, cuando la ropa estirada empieza a descubrir el cuerpo, a complacer por esas raíces de partes que se ven, y están las comprobaciones del movimiento, con sombras de sandunga, que dirían que no es chapucera, además su rostro sin rasguños en el último instante. Para la presa, lo visible es burla, sus fuerzas duran todavía un poco, ¿a qué fin llegará?, porque el dueño camina con zancadas ella ni puede ni apresurándose, ¡qué ritmo vivo!, y sin recursos para no tropezar. Después, por el ceñir de la soga no respira bien esa atmósfera polvorienta. Y andan ya por las entradas de las propiedades, entonces aparecen chicos y muchachos que empiezan a seguirlos, en tropel, a reírse mucho correteando, brincando, que a menudo gritan a la prieta: "¡Corre, piernas flacas! ¡Qué bien haces currucucú! ¡Te tiran de la rienda! ¡A verte volveremos, volveremos hoy, volveremos mañana, y siempre a verte!".

El paso del cazador y su presa. Es así como las hermanas de Honorata se lamentan: se sueltan en lágrimas y desarrollan una extensa palabrería. Especiosa. Luminosa y Liberata, son negras lustrosas que llevan corpiños y faldas atadas abajo del ombligo. Se mueven sus pies ligeros. Colocan las palmas de las manos a los costados de los labios trompas, hacen pantallas para orientar las voces, que son unas líneas que pronto se abren en ramos de flores. A veces tienden una mano, la sacuden. Dicen: "¿Quién nos trae penas?, ¿quién ensordeció a nuestra hermana?, ¿quién apuntó y acosó a nuestra hermana y la hizo sollozar y correr y entonces el viento le atravesaría la garganta? Ella va con la silueta de los pechos agitada. ¡Epa!, que esto no sea lo que es, que termine la representación, despertemos y el que está con ella sea un fantasma artificial. Pero no, es un jefe lacónico, ése con bigotes de puntas, es un aficionado a las mujeres. Y Honorata es una chica del pueblo, encarnación de lo bravo, pero no sabrá qué hacer tan lejos como vaya, vestida de un color de enfermedad, y es buena con los hijos de las otras y los hombres y en las cosas comunes. ¿Qué rumor habrá para acompasar sus quejas?, ¿por qué aquél la lleva atada?; nosotras clamaremos, ella suplicará, pero aquél tiene orejas de sanguinario, es un animal sanguinario que la retiene, es igual que el gato lagarto perseguidor de los monos, es como el hijo de tigre, de ojos amarillos, el que mata al agutí y al carnero montés".

El paso del cazador y su presa. Es así como Honorata anima a sus hermanas, paradas entre girasoles: "Queridas que lloran sobre los pañuelos de papel crepé; no se acongojen, no estén abatidas, aunque vean la soga en caracol y que me lleva marchando por pisos fríos, porque no sé qué ha de ocurrirme en días y días, pero les prometo; me verán de nuevo, de otro modo mi silueta liviana, ¿acaso no tengo la seducción puesta en el rojo de mis labios y ojazos para hacer morir de sentimientos?; seré una flor aparecida con perfume, una planta narcótica, me empaparé, tragaré al cazador de la manera que la tierra traga la lluvia, iré a través de pasillos de azulejos, tendré vestidos que nadie tiene, vestidos holgados pintados, collares de regocijo; porque no se rapta así a una hija negra de la cima de un árbol de miel, no es camino trillado, no es comer corazones de palmera, entonces canten historias con rabia, vayan a golpear con palos las estacas de los alambrados, haciendo vibrar los alambres canten:

"Las hijas de Selofjad, Majlá, Tirsá, Joglá, Milká, Noá, demolieron los altares, destrozaron los massebás, talaron las aserás y dieron fuego a las esculturas. Majlá, Tirsá, Joglá, Milká, Noá, demolieron los altares, destrozaron los massebás, talaron las aserás y dieron fuego a las esculturas. Majlá, Tirsá, Joglá, Milká, Noá, demolieron los altares, destrozaron los massebás, talaron las

aserás y dieron fuego a las esculturas. Majlá,
Tirsá, Joglá, Milká, Noá, demolieron los
altares, destrozaron los massebás, talaron las
aserás y dieron fuego a las esculturas. Majlá,
Tirsá, Joglá, Milká, Noá."

El paso del cazador y su presa. Los dos andan seguidos de
negras plumíferas y portadoras de cestería y jarras, de
bruñidoras, tejedoras, ordenadoras ágiles. Vienen también
buhoneros agrupados, se cuelgan dudosas baratijas, y fabri-
cantes caseros, artistas de gustos populares. Es un cortejo entre episodios, cuadro poco habitual. Suenan unos instrumentos
musicales para diferentes tonos y toda suerte de crujidos. Reciben más empuje, porque aparecen chicos y muchachos, pero
ahora se hacen notar menos, ocupados en sus juegos y puestos en último término. Todos suben y bajan en terreno desigual donde hay sangre de ciruelas, higos y damascos pisotea-
dos. Al conjunto le queda tiempo corto para asistir intriga-
do, ¿a qué ilusión? Así como el cazador y su presa cruzan un
portón y entran en la propiedad principal, el inadecuado acom-
pañamiento se detiene, instintivamente se reúnen más, pero
miran una escena que se aleja.

El sol está en su casa. Llegada del señor dueño con la muchacha a una colina. Allí hay dos adolescentes ásperos sentados en el suelo cerca de un galpón de zinc, parecen no conmoverse. Porque el dueño dice a la negra, ellos te pondrán desnuda, Honorata engorrosa y vibrando, se muerde el labio inferior, y sus pómulos parecen más salientes cuando mira el campo que han dejado, las partes agrestes y las rimadas por los cultivos, el lugar de los bosques, porque este sitio está en una altura creciente y hacia abajo hay planos inclinados que se encuentran, al modo de los encuentros de tejados. Hay riachos de aguas brillantes en valles de condición poco resguardada, pobres, desarbolados, pero a veces agradables y dibujados por tapias y plantaciones. Por lo que se cierne, ella, igual que perdida, sigue en mirar la sierra, su sombrero de nube y el paisaje celeste de diversidades. No se da vuelta, no percibe que los adolescentes en un avemaría levantados se arriman con los dedos formando pinzas para pellizcarla.

El sol desciende. Aprovechadores sin cortesías, saltimbanquis, encrespados idiotas que babean, irrisorios famélicos en espirales, rodeando en figuras de fuego, danzantes desgarbados, funámbulos; esas fueron las particulares representaciones de los adolescentes alrededor de Honorata Pelagia. Parecieron innumerables, tanto fue el énfasis de sus gestos. Pero ahora el señor dueño alzó la mano derecha rígida y cada movimiento se detuvo. Él se halla sentado en un sillón de mimbre, se lo ve de atrás, su nuca recia destacada y se notan las puntas delgadas de los bigotes que salen de los costados. También hacia fuera del sillón están sus codos que amenazan semejantes a los cañones de un buque de coraza. Y tiene extendidas las piernas, por eso sus polainas parecen excesivas. Si los adolescentes son inquietos y relampagueantes como sables en lucha, si la estampa del dueño se ve en trazos gruesos, la imagen de la muchacha de color, plantada en medio del sitio, es un fino croquis en papel agamuzado; líneas leves para el acto tímido de apretar los brazos contra los pechos, para el vestido pegado al cuerpo, para los pies descalzos.

El sol está sobre la sierra. Desuello de Honorata Pelagia; cuando el cielo se pone rojizo y el viento cesa. Los palmares de los valles se han inmovilizado; jarillos y retamas, pajonales de las cañadas, quietos, también los teros, las garzas blancas y moras, los habitantes de los talares. La rata nutria no se desliza, la vizcacha noctámbula aún no salió de la cueva. Entonces se dilatan las sombras. Cuando el señor dueño tiene la mirada de acechar, los adolescentes van a quitar en pedazos el vestido a la hembra prieta. Obcecados, van a sacar cáscaras, rodajas, descortezarán, van a hacer saltar los botones, serán lacerados los ojales. Se amplía el despojo. Van a desgarrar las mangas retenidas un momento en los antebrazos, que arrastrarán lonjas de la espalda. Van a hacer aparecer las costillas salientes, el color requemado y el color hoja seca debajo de las telas oblicuas. Por entre los rasgones se van a descubrir las guardadas ancas y atisbar las nalgas igual que lomadas, y el matorral del pubis. Promesas descendentes; resbalarán esos trapos, tajadas, lenguas sangrientas, por las piernas oscuras hasta enredarse entre los pies nerviosos. Esto harán con impaciencia.

El sol cae de la sierra. El zinc del galpón se enrojece por la luz vesperal. El señor dueño sentado en el mimbre que cruje ve a los muchachos elásticos turbios. Para ciertos momentos ellos detienen la agitación, quedan en silencio y sostienen parte del vestido. Honorata Pelagia en medio, se halla ajada, recargada de retazos rojos que dejan ver rombos de piel marrón. Entre lo jironado y encajes sueltos se ofrecen las mamas, algo de vientre, mucho de caderas. Caen unas láminas del vestido, que son como abundancia de flecos anchos para sus piernas. Está desprendido lo recamado que forman los gogós, una exaltación de los alfileres y cadenitas. Tiene su cabeza una expresión de pájaro, su mirada extraviada, los párpados tienen alheña, los pómulos pátina, los labios escarlata y sellados y secos. La negra de delicado rostro, de piernas largas, de una tristeza que la hace digna. El dueño dispuesto con la mano en la mejilla le busca los ojos. Cuando los adolescentes siguen en los descubrimientos y arrancaduras.

El sol cayó de la sierra. El zinc del galpón está enrojecido por la luz vesperal. El señor dueño sentado en el mimbre crujiente ve a los muchachos elásticos turbios. Ellos han detenido la agitación, quedan en silencio y sostienen partes del vestido. Honorata Pelagia en medio, se halla completamente desnuda. Sólo le cuelgan balambambás de plata en las caderas unidos por una tenue cadena. Entre penumbras se ve de frente su cuerpo cenceño de piel marrón. El cuello oscurísimo. Tiene las tetas con pezones tiznados. Las axilas son oscurísimas. Tiene los brazos largos con ademanes raros y muestra las palmas de las manos descoloridas. Tiene la cintura delgada y el leve vientre rodeado de ancas lustrosas. Su vellón pubiano es oscurísimo. Tiene los muslos compactos apretados entre sí para cuidar la intimidad, y las rodillas son carbones. Tiene su cabeza una expresión de pájaro, su mirada extraviada, los párpados tienen alheña, los pómulos pátina, los labios escarlata y sellados y secos. La negra de delicado rostro, de piernas largas, de una tristeza que la hace digna. El dueño dispuesto con la mano en la mejilla le busca los ojos.

REÑIDERO

Adquisición de sirvientas por el señor Hipólito Galantini. Conversaciones preliminares con señores contratistas. Uso frecuente de los verbos en subjuntivo. Refinamiento de las transacciones, cuya importancia saldrá a relucir más adelante. Aburrimientos del señor Hipólito Galantini y luego recuperación del interés cuando se señalan las cualidades de las sirvientas con frases pintorescas. Incidentes que se narran; cierta caricatura de los defectos femeninos. Maneras agobiantes de quienes suelen dar largas a los asuntos. Llegada de más personas. Aspecto general de la habitación rectangular donde se encuentran y de la mesa cubierta por un mantel blanco, donde abundan botellas de vino. Las sillas rodean, acercadas y alejadas a las aristas de la mesa, los perfiles de los hombres se escalonan en la perspectiva, el grado de los ruidos se atenúa hacia un extremo. Algunos están aislándose. En algunos se nota el agotamiento de las conversaciones y entonces golpean los pies entre sí. Hay quien se frota las manos y quien se sobresalta cuando estaba en un adormecerse. En muchos rostros se reconoce cierta fijeza. Sobrenadan sombras con variaciones, hacen pecas, monedas, manchas y franjas. Un sendero, embaldosado de ladrillos, termina en un pequeño bosque donde esperan otros miembros de la Compañía Abajeña con sirvientas y público. Al salir hacia allí tumbo que sufre un señor contratista, pero enseguida es sostenido por un acompañante. Se contrarió; se produce, desorden de pasos, agrias voces. El señor Hipólito Galantini está absorto y sonriente.

Notas sobre transacciones y sirvientas. Es habitual verlos frente a la puerta de la tienda. Inquieren, malgastan el tiempo espiando los movimientos menores. Se consuelan alargando el cuello. Se fija la puja. Revisión de las criadas. A partir del beneficio. Guía práctica para quien desee poseer. Demuestran por caminos. Debe examinarse antes de resolver. Adiestramiento y pruebas. Diferentes relaciones entre hombres y sirvientas en variables lugares. Regionalismos, leyendas, numismática, prejuicios y proverbios; humorismo sobre estos temas. Dueños aficionados o fatalistas. Gradual domesticación de una sirvienta. Se han abocado a cumplir y perfeccionar. Tesoro de averiguaciones. Muchachas que uno conoce palmo a palmo. Uso de blusas ligeras. Mala crianza. No echar particularidad en saco roto. Unas verrugosas, unas con ojos de vanidad. A la par, los hombres son sagaces. Piden tabaco y azúcar para reparar fuerzas. "¡Vaya si quiero!", grita alguien; estalla en furor ilógico, da furibundos golpes. La criolla María Ilíaca se muerde un labio, la chúcara. La bella Esclarimonda, niña madura, también; también la rolliza Modesta. Cada cual hace según le va. Una excentricidad camina a rienda suelta. Interior del granero de la abundancia.

Reunión de la Compañía Abajeña en un bosque de espumosos talas. Es un ejemplo de los usos y costumbres del país. Es para el ajuste de las sirvientas. Las muchachas han formado un corro y cada una tiene un ramillete de flores o una vara florida; por la forma de sus bocas se ve que muchas entonan estribillos o canciones de trabajo. Otras están de caras acongojadas. A un costado se hallan los contratistas, tienen folletos y lápices, sus trajes son gruesos, parduscos, transpiran en la parte superior de la frente y en las patillas. Algunos conversan con animación y otros miran con persistencia a las sirvientas, hasta palpan a las robustas. Se trata de relaciones de cuentas y convenios, se regula la acción. Para decidir es necesario conocer. Las facciones de las muchachas contrastan con cierto aspecto brutal de los hombres. Hay también una pequeña aglomeración de púberes curiosos que miran el hormigueo, unos están sentados, o acostados de pechos en el suelo, otros de pie. Se distingue a la cuarterona María Ilíaca porque tiene atado en la cabeza un pañuelo rojo. Fruta del monte. Caen sombras sobre su mirada, su piel es terrosa, sus brazos descubiertos son lánguidos, tiene puesto un vestido color de canela de falda muy corta, sus piernas parecen delgadas.

Observación de unas sirvientas desprolijas, que llevan cintas ajadas, medias gruesas, polleras con costurones y blusas amarillentas. Que hablan de la vida de goce, de ceder a las tentaciones y de las modas que se producen originales, formas no conocidas por la gente común. Como hablando lenguas angélicas, aunque a veces sus voces son atipladas y hasta chillonas. Entre las un poco gordas reina un sentimiento de brío y bienestar. Parecen tomar con gusto la cosa de estar ahí, en esa pradera corta, pisando la alfombra de pasto donde hay desperdigados carozos. Próximos, los contratistas de trajes espesos y zapatos embetunados, se hablan alternativamente al oído. ¿Qué quieren sonsacar? Lejanas, se ven vacas abrumadas por perros que ladran.

Frases de los contratistas, Metafrasto, llamado el repetidor, Lanconi, el escribiente, e Hipólito Galantini, el cazador, dichas mientras examinan a las sirvientas: "La de rizos tupidos, es fuerte, materia sólida, buenas ancas y ubres, aspecto útil aunque estúpida, y los muslos son notables". "Esa pelirroja es lozana, rolliza, muelle, siempre dispuesta es un bocado, además sus muslos son firmes". "La despeinada con vaharadas de olor a manzana, demasiado robusta, se presta para todas las tareas, tiene los muslos oblicuos". "La muy rubia, a quien llaman Modesta, de hombros descendidos, mamas que son semiesferas perfectas, para echarle el ojo por los cuartos traseros y los muslos". "La otra, color de aceituna y pelos bastante ondulados, tiene cejas separadas, parece de las más obedientes, pero los muslos son enjutos". "La selección debe ser rigurosa; es preferible un volumen destacado;

es preferible que sea vivaz; es preferible menos arisca". "Ya mismo veamos a las delgadas; parcas en promesas; las hay bravías". "Aquí una de cuello flaco, vello ralo, desabrida, pero los muslos son duros". "Aquí una mírame y no me toques, montaraza, de pañuelo rojo, coloca un pie delante del otro, pertenece a una raza de cualidades". Luego volviendo a los hechos, el repetidor saca un pito metálico: con penetrantes pitadas enardece a las muchachas. Es para que despierten de la pereza, para excitarlas mediante estridencias.

El señor cazador se dice a sí mismo: "Está la cosa en no dar demasiado. Están el trueque y los artificios amistosos. Fundado en lo real, lo colocado en los almacenes son elementos ricos y difíciles, son envíos preparados, se ha cuidado cada caja, han inspeccionado, y lámparas, ceremonias, charlas, prudencia, mediciones, ¿qué más?, pero ahora debo observar lo que me entregan, no es asunto de elegir a primera vista, pues ellos andan con la daga mano izquierda. En convicciones y redes no me atraparán. ¡Je jé!, veamos esmeradamente a la muñecona de pañuelo rojo; en sucesión ordenada, con malicia clásica, sus claves: que no se retuerce, y la limpieza de las pupilas, de la lengua, la garganta sin telilla, que no es zanguanga, y hacerla orinar de pie, hacerle besar el hueco de una mano, y que vocifere, y ulular. Lo que ilustran de ella no está mal. Participa, sabe darse a las buenas y se le ocurre simular personajes de vidas ajenas. Para el asombro de los otros haré de la cuarterona un retrato de muchacha atrayente y pulida, para que digan lo que siempre se ha dicho, que soy diestro en negocios".

Inspección de la criolla María Ilíaca por los contratistas, mientras miran de lo lindo adolescentes y sirvientas silenciosas. La muchacha de pie atiesada, tiene puesto el vestido muy corto color de canela, debajo nada. Con dos dedos ella misma se toca la sien derecha. El escribiente le aprieta un brazo con mano fuerte y con otra levanta desde atrás la falda. El cazador con mano grande le explora al tuntún la tersura y dureza del traste. Enfrente de ella, el repetidor con manos regordetas le tira del escote y asoma la cabeza para mirarle las mamas color de miel, mientras piensa: "la mujer es un pozo". El sol se filtra por los ramajes de los talas y alumbra finamente la escena. Habrá ligera brisa porque se dibuja un movimiento del pañuelo rojo que tiene sobre el cabello María Ilíaca. Y baja el telón; el señor cazador se dirige al señor escribiente para farfullarle, "lo que usted me muestra es tanto de insignificante".

Consideraciones del escribiente; su contrariedad por los exámenes, acaso excesivos del cazador: "La cautela, lo minucioso, las particularidades, ¡uf! ¿Cuánto vale una muchacha vestida de ocre, hombros casi descubiertos?, ¿los terrenos que acercan al río, ídolos de alabastro, vasos de alabastro sin asas, estuches, pectorales con cisnes repujados, otras sirvientas? Entonces él empieza por lo referente al soporte concreto, lo referente a la opacidad, lo referente a la dimensión y a la geometría, o algún ítem más, o declara el sentido; sus palabras son ecos múltiples. ¡Y lo original de sus actitudes! Cuando solamente se trata de estipular con moneda corriente mujer. Verbi gratia, ella tiene piernas ágiles para los que conocen de ramas elásticas, voz caliente, discreción, y para abreviar sobre disposición de elementos se hace como en una fórmula floral. Hemos discutido esto en la mesa, con todos los que desean adquirir, ya, empleando sistemas múltiples y clarificados: colina más parque y más arroyo equivalente a graciosa pigmentada, un campo de frutales equivalente a triciclo, y éste, equivalente a una de finos dedos y piel color de habano. Si antes la usó un hombre dominador se presume dócil y placentera. ¿Qué más?, mojada en un mar y en un lago, dos sabores. Siempre, a una boca una sopa. Pero el cazador viene con folletines, enconos, quiere que la transacción sea, el paso cuidadoso de una mujer por un estrecho tablón de buque a buque. Desconfía y desconfía, se da en revisar orejas y ombligos, les mete el dedo. Es para interrumpirlo, para decirle, señor, miró mucho, y cuellos y cuerpos, regiones lumbares, demasiado, y decídase. Le empujaría la muchacha contra las narices, porque el olor tienta. Le gritaría, ¡aprecie, aprecie!".

Cuando el señor Hipólito Galantini se lleva a la criolla de voz oscura a sus propiedades ella habla y habla. Él camina pasos rápidos sin escuchar. La tiene por el brazo y a veces la sacude. Ella mezcla las palabras con pocas risas o lágrimas. Dice: "Forzada a seguirlo me pregunto qué suerte voy a tener, y a partir de ahora me abandono a los signos, porque otra vez fui tomada, campanas sonando fui mostrada, nunca peor, la espalda mojada, me azotaban, me marcaban igual que para tatuajes rituales, no podía esconderme, ¿quién soy?, desatinaba usando frases no mías, tales como que se atendía a la justicia y por eso el rigor y otras afirmaciones, pero no aportaban nada, ni una isla en el horizonte, desatinada me extraviaba, hasta deseando beber del que me castigó, pero ahora le sonrío a usted, toda un grano de pimienta, porque sé que cada hombre coloca su carácter por guía, pero usted es un señor muy digno y práctico, entonces no dejará que vuelva a esas vergüenzas, porque acaso sea bien estar a su orilla entre sugestiones fuertes y dulces, porque usted es rico en sonoros nombres y yo a menudo estoy en conversar y relatar".

Cuando el señor dueño se lleva a la criolla de voz oscura a sus propiedades, ella habla y habla: "Su traje es intachable, sus ceños, su manera tensa, acaban de atraerme a recuerdos, por razonamientos sencillos me parece ver a otro señor, mágico y erguido, de un porte de vencedor, hombre de los dioses, luciendo su realidad para todas las muchachas, que entonces se apresuraban por verlo cuando pasaba y después cada una narraba, lo que veía y lo invisible, decían que lo sabían de pe a pa, pero otra vez la cinta de memoria me trae a un dios enmascarado, llegado a una playa en una dorada tarde, y yo no podía alzar la vista hasta él, arrojaba mis miradas en el suelo, insensata le hablaba con los ojos bajos, porque era igual a una figura que desprende luz, que ofrece un contorno difícil, y luego se fue, se fue, pero en este punto no quiero seguir, mis palabras no quieren ofenderlo señor ni compararlo, ni perturbar los hermosos ruidos, porque los gorjeos alternan con los mugidos y los ladridos con el murmullo de las hoces cortando, aunque quizás usted me oye igual que tantos sonidos, distancias, sin atender o acaso atiende sólo a que las palabras se parecen a modulaciones de una corneta, ¿lo sabrá una?, y puede ser que no repare en pájaros o rumores, preocupado por el ronroneo de sus propias áureas ideas, cavilando sobre la superioridad de ellas, mientras un diminuto paisaje de algarabías se esfuerza en interrumpirlo, hacerse notar, aun en complacerlo, así yo misma hago y tanteo".

El encuentro de María Ilíaca y Honorata Pelagia. Cuando la criolla ha subido la lomada de las casas siguiendo al señor dueño. La negra se halla debajo de un alero, entre poliedros de piedra y mesas, de pie sobre una estera afelpada preparando una salsa de membrillo. Se ven y corren una hacia otra. La negra rodea con los brazos a la criolla, apretándola contra ella. Los ojos de ambas se abren y cierran, se enredan los vestidos, se besan y estremecen, balancean las piernas. Enseguida se sueltan, dan vueltas y gritan: "¡Por el amor de Dios, por el amor de Dios, ¡si eres tú, si eres tú!". Se dicen: "Rosa mentirosa, bruja de las sierras, pájara de amor, crudo amor, que no se forme más niebla en tu sueño, quiero pasar la noche contigo, habibi, muy deliciosa". Tienden los ojos, se vuelven a tocar, sutilizan su tocarse, las manos ya blandas y suaves como un vientre. Cada una es una figura en torceduras lindas. Cada una pasa los dedos entre los cabellos de la otra. En tanto los alrededores quedan parecidos a una fotografía desvaída.

La prieta y la morena están masticando hojas de coca, su acullico, apacibles. Donde crecen hierbas viciosas se acuclillan para conversar. Hablan de cómo fue posible que tan del todo... Están frescas, olorosas, igual a perfume de romeral, solas y descuidadas, llevan telas livianas, muestran las rodillas sucias. Una martineta copetona vuela un corto trecho produciendo ruido. En una solana pasan mujeres con delantales de algodón y alpargatas, algunas tienen chalecos floreados, sus chongos desarreglados, están en quehaceres. Hay un panorama atenuado, polvo áspero caliente sobre los naranjales, sobre las huertas que bajan escalonadas y los muros de adobe. El polvo amarillea dos carros que están en una cuneta, también a unos hombres cetrinos que andan entre piedras, como animales encorvados. Y amarillea las chozas de grandes palmas en los techos y paredes de cal, y las taperas cubiertas de paja en haces, ya poco visibles detrás de las vallas de pitas.

Saltan en hoyos, en charcos, se enlodan la negra y la morocha de faldas cortas. Las bocas sanguijuelas, manos y cuerpos para anillos, sortijas, collares, adornos de metal y tintineo. No hay hora quieta. Saltan, comen cañas y escupen. A veces usan ropas de mancebas o desviadoras. A veces tocan instrumentos vibrantes o el pinqullu, como flauteras. Se sientan en sillas y sobre cofres. Finas y sensitivas, están en las casas con decoración menuda, debajo de las yeserías que ocultan los dinteles de madera, risueñas comentan, o hacen señas a un horticultor que sostiene una horquilla. Piensan en un principal inca vestido de camisa ajedrezada; en Vira Cocha, Pachacuti, Topa. Guamán Poma en traje de posteriores épocas, con adornos y broches, y gestos gentiles. Entonces abandonan el triángulo y el sonajero, toman la cajita para afeites. Son unas soñadoras extendidas sobre almohadones largos.

Retrato de Flor, mujer vieja o paya, que se toma del cuello con la mano, echa la cabeza hacia atrás y mira el horizonte que le roza la mejilla. Son como ámbar sus mejillas, la melena es corta, gris y rizada, la blusa de mangas amplias y puños, el cinturón de cuero y hebilla, la falda tiene incrustaciones de piedras azuladas, los zapatos altos. Hay una red de sombras en el suelo, hay ruido de agua en los canteros. Es el ama de las sirvientas; dicen que cuando se pone el peinetón de carey, ni explica métodos, castiga con tanta frescura, y que es de amaños y relaciones especiales. Añaden, que guarda un talismán donde está grabada la palabra Inti, Sol; pero no es una poseída por entidades sobrenaturales, según algunas creen. Ella cuida, observa a las sirvientas cuando están donde no deben, les habla para apaciguarlas, les da palmadas en el hombro para sacarlas de haraganerías, les protesta con tupé. A veces parece que las mirara con severa, muda propensión. Dudosas impresiones. Su nombre dulce ronda en los oídos.

Baño de sirvientas en un estanque circular. Flor, mujer vieja, las ve desde afuera. Lejos el sol bate las casas. Primero María Ilíaca y Honorata Pelagia son dos muchachas casi indiferentes y desnudas, pero tienen sesgos de sonrisas, el agua zarca les llega hasta la mitad de los muslos. Están enajorcadas, plata de los Andes en las muñecas y en los brazos. Después son dos cantoras o gritonas, mejores que los tigres que gritan "¡groum, groum!", pero se vigilan inquietas y pestañean. Después dicen palabras cochinas y ríen con risas de esas que no se lanzan a la cara de un hombre. Enardecidas juegan a salpicar. Entonces se acercan y retiran, se acosan, hacen tropezarse los pezones, empujan uno contra otro los senos, no tardan en darse besos breves. Entonces cierran los ojos. Henchidas hacen movimientos ondulantes y juegos y mimos. Desde afuera, Flor las ve tocarse pubis y caderas con gestos singulares. Y están en mirarse los cuerpos y pestañean. Se dicen, "muchacho húmedo, muchacho húmedo".

Los trabajos de Hipólito Galantini. El señor dueño mide la altura de los árboles en pie usando el instrumento de Bouvard, formado por dos piezas de madera rectangulares, llanas y superpuestas, rancias de tanto ser manipuladas, con perpendículo y arco graduado. Hace las operaciones forestales. Sus actos son simples, paulatinos, demuestran una experiencia. Cada vez visa la base y el extremo del árbol y obtiene medidas de errores menores que una vigésima de metro. Se lo ve durante toda una mañana deteniéndose o avanzando por el campo, trasladando el aparato y también un cuaderno grueso de apuntes, donde escribe sobre los aspectos de las cortezas y las formas de las copas. Así anda hectáreas. Lo acompañan mujeres con delantales de color crudo y melenas recogidas, y cuatro perros cazadores de raza fina.

Las quintas ocultas por hileras de eucaliptos, las casas de piedra, las extensiones, unas manadas abiertas en semicírculo, unos animales color de polvo, el cercano arbusto fucsia. El dueño cruza el campo con bastón de caña de bambú. Como espera a unos visitantes piensa: "Las tareas me atraen, pero ellos no aprecian un modo de obrar. Las dudas, lo arduo, los entusiasmos sin medida, las palabras no adheridas a certezas, unos tonos coralinos, un verde jubiloso, alternativas, el más allá, el más; desusados que apenas se conciben. Y el estilo atormentado; la violencia de una idea. No alejaré de ellos las difíciles imágenes. Hago la obra como un sistema, con precisiones y restricciones, opaca o engendrada en rarezas, siempre con veleidades por la regla, por lo estricto. Sucesivamente un cacique taja el campo, trabaja incansable. Pero hoy es como un mago de perfecto frac, y levanta el paño, hace aparecer la escena. Como tomada de una historia natural, de las curiosidades del Mar de las Indias. Descubre un niño ya crecido y marcado. Que no se puede derribar, que no responde preguntas. Por lo tanto me sentaré para hacer un descanso, mirando los vegetales ya medidos, gozando de lo sombrío de la población silvestre. Esperaré en silencio las frases de ellos, siempre de la misma índole. Pero vienen, ¿qué hacen aquí estos señores?".

Éste es un cuadro campestre. Sobre una pradera giran pájaros. El señor dueño lleva puesto un sombrero de paja tejida; pone sus brazos en jarras, apoya las manos en el cinturón de badana. Otros señores lo rodean y levantan sendos vasos de cerveza. El señor dueño canta una vieja e inesperada canción, escuchado y admirado por unas sirvientas hacinadas:

"Soy el dueño de este campo. Me alegra verlo pero entonces deseo otros campos. Los que se hallan más allá de las colinas. Mis frutales son ricos, no tienen orden ni aún los he contado. Algunos son orgullosos, tienen ramas erguidas. Me río de las ramas muy horizontales. Me gustan las ramas ocultas entre las hojas. La gente me imagina duro. La gente habla del fresco de este año. Es el atardecer y el cielo disminuye su luz. No me ocupa la debilidad de su luz. No soy el cielo, no tengo esa clase de debilidad. Soy un dueño de tierras".

La fachada en la casa principal tiene un escudo cuadrilongo azul, sin divisiones ni figuras, debajo en una cinta de piedra aparece grabada borrosa una frase. En la explanada está el caballero con sirvientas. Hay macetas con plantas vistosas donde el sol relumbra. El día es caluroso. El señor habla a las mujeres: "Acá siempre están para escucharme, nadie me rehúsa. Éste es mi enunciado: he de adquirir una esposa, a la que cubriré en mi cama para que me dé hijos. Éstos son algunos términos esenciales: ella será la señora dueña, en posesión de la hacienda y nunca más se verá pobre o con vulgaridad, ni deslucida, no me alejaré de ella, ni habrá días donde yo me irrite demasiado. Así la ronda de la vida va a empezar, con una buena dama y una familia sin desolación. Éste será su comportamiento: que inflame mi voluntad, atraído por sus deseos femeninos, que se haga notar y se turbe para satisfacerme. He aquí el recurso: dos jóvenes son del color de mis tierras, una es de tonos subidos y otra de tonos leves, entonces lucharán. ¡Que la vencedora sea mi esposa y esa misma tarde la recibiré! Que la perdedora vuelva entre las demás sirvientas. La lucha será en el reñidero de gallos. Como esta resolución es una fiesta, que todo resuene, por eso ahora bajaremos para escuchar la música de la feria".

Tempestad sobre las casas. Después del día tórrido hubo nubes en forma de barbas de pluma, rápidas y espesas, que producían temprana oscuridad. Empezó un viento bravío muy persistente, que se dividía en remolinos. Hubo abundancia de langostas, ensuciaban las praderas, los árboles y los techos. Grandes animales se juntaban arrinconados. Unos papeles se arrastraron, unas sillas se tumbaron, rodando. Las caras de las casas se hincharon de claros. La tormenta de polvo cubrió de ocre maligno. Entonces culebrinas atravesaban el cielo y se acompañaban de estruendos de artillería. Terquedad de los elementos: continuaban las chispas eléctricas que mandaba Nuestra Señora de los Campos, continuaban los zangoloteos, los golpes y gruñidos, chirridos, silbidos, ruidos hirientes, martilleos. Empezó a caer lluvia lenta de gotas gruesas. Luego lluvia torrencial. Cuando las mujeres estaban por las habitaciones con las gargantas secas, sin serenidad, los rostros buidos, nadie quería pasar la noche sola.

Los pensamientos de María Ilíaca. "Mirar tanto a la negra es tenerla en la cabeza y en el vientre. El señor dueño pasa, pantalón arrugado sucio de grasa verde, figura seria, y por sabiduría o tradición se ocupa sólo de las tierras y las máquinas, se desentiende, aunque estemos ligeras de ropa, de nosotras. Honorata le anda al lado igual a gallina que muestra sus acciones, vendedor que suplica le compren, una que enseña cada día cualquier cosa de placer, por eso se me vuelve molesta y por sus jajás y volteretas o por cierto aire de languidez, de destinada a servir en la cama. Pero ahora está silenciosa y mantiene sus críticas ocultas, acaso se evapora para gozar de algún privilegio especial, también apartada hace su sistema vigoroso de entrenamiento, hace posturas; entonces no es igual que en los primeros tiempos, está contra mí. Busca al señor dueño por los corredores donde mueve más que nunca las caderas calientes. Cuando estuve en las cocinas, sentada sobre una mesa enharinada, vino el señor, la negra siempre atrás, y él me preguntó si yo servía y empujó su mano grande llena de harina contra mi cara, sorpresa o chiste, y la negra miraba, cola de zorra, con su disciplina típica."

Los pensamientos de Honorata Pelagia. "Ella pasa junto a perros trigueños y a unos adolescentes, despreciativa. Si abrazo un perro, llega a mi costado el olor de su sangre y acaricio sus puntos oscuros, su pecho curvo, empiezo a no sentirme despabilada. Pero ella que antes tanto estaba conmigo hoy me ha gritado, ¿quién sos?, ¿qué alma tenés contra la mía? Plantada, parecía que estaba para cachetearme; y después su mutismo, con avaricia y furia. Y a mí se me van las energías de los brazos, necesitaría un grandote santo para cuidarme, quitarme el temblor, no un patrón severo que hace cumplir, porque una lucha entre muchachas es cosa penosa de pensar. Quiero irme de esta inquietud, no recordar, esconderme, quedar libre, me salta la vida, no aguanto ver a ella en su desenfado; justamente cuando él anda por ahí, se levanta la melena con ambas manos para descubrir el espléndido cuello, para ensombrecerse la frente y además abre un poco la boca."

Para llegar a esta tarde única: están las muchachas a veces sentadas sobre piedras, iluminadas por el sol, llevan puestas camisetas blancas y pantalones azules ajustados. La propia compasión les sube como una savia, por lo que produjo el anuncio. Tienen además el corazón rápido, les duelen los músculos de la espalda, aprietan los dientes, a veces dan pasos precarios, su andar va por cualquier parte, o también pelan frutas, apresuradas, arrojando cáscaras y carozos en tarros, o bajan, piernas inseguras, por alguna pendiente ripiosa. Hay entre cañas de maíz una cabaña de paja dorada y cal quebradiza, puerta despintada y ventana de vidrios arenosos. Tiene que rodar un balde con doce ruidos para que ellas sientan escalofríos y pensamientos intrusos, para que vean estiramientos y escorzos raros en la gente. Acuden unos curiosos de ropas gruesas, grupos irregulares de gente ávida, que al comienzo no ceden palabras y se fijan solamente por dónde caminan, se mueven de modo acompasado. Son una banda casi considerable. Después echan voces que se escuchan progresivamente más fuertes. Hablan como estúpidos que confunden los vocablos por su parecido.

Observación de un reñidero de gallos. No es un ejercicio de soñar. Colocado en una habitación grande, antiguo establo, está formado por un maderaje de poca altura, forrado en la parte interna por un paño rojo que cierra un círculo de tres metros y medio de diámetro. Puestas ahí están María Ilíaca y Honorata Pelagia, que obligadas a sacarse la camiseta, muestran los pechos desnudos. Cada una está enfundada en un pantalón largo color azul villano, muy ceñido aunque ancho en los perniles, pero que no alcanza a cubrir los tobillos. Los pies descalzos. De la cintura les cuelgan lonjas lisas y trenzadas que sirven para que una contrincante tire de ellas procurando bajar los pantalones de la otra. Los espectadores, machos solitarios acres, se hallan sentados en sucios bancos alrededor de la valla. Sin más ni más tocan, cuando alcanzan, los traseros de las muchachas. Dos de ellos también amagan chuzazos con látigos muy retorcidos y adelgazados en la punta; es para estimularlas, enervarlas, impeler una contra la otra. Aspiración unitaria; que las muchachas no malgasten el tiempo, que hagan juego entretenido y violento, un teatro de drama rápido. Ellas algo mueven las caderas para eludirlos y tratan con las manos de cubrirse los senos. Atascadas; la criolla tiene el cabello recogido y la negra lo tiene crinado lacio. Se miran con ojos oscuros, azorados, a veces bruscamente les saltan lágrimas. Para el reñidero rojo, el lugar y la gente son un marco muy oscuro donde suenan escasas palabras, casi todas destempladas, pero principalmente se escuchan las respiraciones hondas.

Las muchachas se miran con ojos de azabache, bajan las manos, se retuercen las manos. Sus cuerpos son densos y bellos. Hacia ellas van los deseos de los mirones. Azuzadas en la luz fría por los mirones. ¿Qué sucederá aquí, cómo resultará la cosa? Pronto se habrá resuelto. Pero ninguna puede decir que tiene un privilegio. Todavía ninguna tiene el sello de la victoria en el corazón. Los hombres son los testigos, todos suspensos esperan, no hay mujeres espectadoras. Desplazamiento de las luchadoras encima de un camastro rojo. Cuando afuera se retira el sol de los techos.

Vista lateral de la pelea de dos muchachas en un reñidero de gallos rojo. Combate a mano limpia. Inclinan la cabeza, se inclinan graciosamente, enseguida toman la posición enlazante, hacen un alboroto ebrio, actos de todos los colores, no tienen en cuenta lo indecente, se ponen fulas, arrasan con ceguera, sumergidas, buscan el lugar de hundir las manos, ¿qué pasa con sus conocimientos?, improvisaciones que se abandonan, muestran desconcierto, momentáneas interrupciones, prosiguen con rapidez igual, se estrechan y separan, asidas o sueltas, ejercicios vivos, todavía empeora, nutridas cachetadas, abundancia de zarandeos, empellones, se manejan como trapos, desgreñadas, nuevas disposiciones de brazos y piernas, cuadros de la defensa, se las arreglan como pueden, aumentan los forcejeos, revuelcos, abertura de muslos, gemidos, los cuerpos están sudorosos, muy irritados, las bocas arqueadas y asombradas; en resumen, no se aprecian todos los pormenores, no se escuchan netos ciertos juramentos, pero sí se gritan: "¡tilinga!, ¡te sacaré el pantalón!, ¡tendrás que enseñar!, ¡te mostrarás, víbora!, ¡te lo sacaré como pluma!, ¡te lo sacaré!". Vista lateral de la pelea en el momento en que saltan los botones del pantalón de una de las muchachas y la otra aprovecha para tironear y bajárselo.

Ocurre: la negra tira del arrugado pantalón de María Ilíaca, se lo baja hasta las rodillas. Es tarde para poner remedio, ha cambiado la apariencia, la criolla queda con todo al aire y entonces es la perdedora. Su primer cuidado: igual a una linda cuando sale del baño, con un brazo se tapa las mamas y con una mano infeliz el pubis. La luz sin igual de pobre deja hebras de claridad por su cuerpo. Muchacha fácil aureolada de avispas de brillo. La vencedora le acaricia donosamente un hombro y además le dice, "de nada te sirvió". Se ven igual que en una litografía que represente a dos jóvenes, una desnuda y otra sonriente; alegoría simple de la desdicha y la suerte. La concurrencia hace la siguiente algazara: ¡qué fruición!, baten palmas, golpean cosas entre sí, hacen ruido desapacible de matracas; pero permanecen en un fondo cóncavo, en la casi oscuridad semejantes a figuras de hierro colado. Miran a la vencida como a una obscena miserable, quebrada, cubierta de alimañas. Y ella grita su aflicción: "¡ay, ay!, ¡asagh!, ¡ugh!, ¡ogh!". Mientras la ganadora sosegada repite: "de nada te sirvió, las señales me eran propicias, fue por la ayuda de algún santo". Y bambolea un pie, eleva el mentón, pone los ojos más astutos y oblicuos.

Durante la mañana que sigue a su vergüenza, María Ilíaca se halla sola en la habitación de sirvientas. Nada del lugar se inquieta, bizquea, deja su impasibilidad. No hay ogros o figurones caminando. Los cubos y muebles, las mesas, están ordenados en una lenta penumbra, el entablado lustroso, todo es un diseño tranquilo, cabal. La mujercita en cambio rabia por su anécdota, gruñe: "agrr, ¡arr!, ¡ar!". Hace arrancamientos en las mangas de su ropa. Quisiera ser áspera, una estaca, no flexible, escupiendo pero no derramando lágrimas, y torcer el cuello a la muchacha de color, patear las paredes desprendiendo cascarilla y polvo. Pero le sale de la falda una pierna derecha armoniosa y tersa. El espinazo le duele, siente que es como de nudos de soga. Si decae el enojo se afloja, falta de fuerzas le parece que su cintura se descalabra, apoya en la ventana los codos libres por los desgarros del vestido, y la rabia se cambia en congoja; respiraciones opuestas y ojos que no salpican lágrimas pero dejan salir unos ríos continuos salados, que empapan sus pómulos y descienden por la blusa, le mojan los pezones. Mientras afuera está el campo ardiente de otra pasión, el verano, donde estallan los brotes, rumorean los bichos de la tierra, donde hay dilataciones y relampaguea el sol sobre hojas y ramas, espolvorean el aire las mariposas, zumban los moscardones.

Alabanzas a Honorata que hace Flor, sentada y extendiendo las manos sobre la falda, rodeada de sirvientas. "Éste es otro episodio para ella y su vida ya no está pendiente de un hilo, ahora es una mujer de rostro pintado tomando mate al lado de una suntuosa tetera de plata. Tiene un equipo mágico, una colección de objetos para ensambladuras, huesos y huevos, pendientes análogos a ruedas. Haba de Kalabar, haba negra, haba con muesca. Porque él la desposó ahora su nombre es Honorata Galantina. Él extendió su brazo amable, los he visto unidos, nos muestran sus figuras finas. Él la mira en la entrada de los pasillos, tiene el vello erizado por deseos, la toma de los cabellos para besarla, le apresa el cuello con los labios, cuando llega la hora de empezar se desliza sobre su cuerpo, ella lo recibe con manos seductoras. Ella sabe explicarse al varón sin irritarlo, y sabe poesías de éxtasis. Ahora sí la casa se caldea. ¿No es la vencedora una señora negra sutil?, ¿no es una señora negra tenue?; es menos lánguida que perspicaz; ¿no es una señora negra astuta?; cuando quiere su boca no habla, sus ojos entornados no ven, sus orejas erguidas no oyen, es capaz de no descubrirse, y goza de los días de su juventud y de su vanidad."

El señor Hipólito Galantini y su mujer Honorata Galantina se dejan retratar en una glorieta. Frente a ellos está un fotógrafo tranquilo con una máquina cúbica. Trata de lograr la composición armoniosa llena de sentimentalismo, de sobrepasar las mejores ilustraciones. Es un cultivador de la realidad. Busca un fondo uniforme para las dos cabezas ovaladas sostenidas con elegancia. Que se vean hasta medio cuerpo. De cuerpo entero. En posturas indolentes. De expresiones vivaces. Sentados, las piernas cruzadas, para este momento de fama y bienestar. Antes, usando palabras de orden, hubo que apartar a unos hombres remisos, a unos adolescentes, a un racimo formado por la morenada y las sirvientas. Ahora esta gente hace fastuosos conjuntos un poco retirados de la pareja principal, hay encanto y frescura en las lindas mujeres que tienen sombrillas, capelinas, blusas incrustadas de encajes, intensos penachos de plumas algodonosas, vestidos llenos de pliegues, terciopelos y rosas. ¿Todos los amigos están aquí? Todos están de pie desde temprano, hablando y halagando, es verdaderamente divertido, sin duda es también ruidoso. Pero quien se orienta en la contemplación tranquila sólo mira al señor dueño con su flamante pantalón y a su mujer negra que se ensaya con gestos y lleva puesto un vestido de organdí blanco de amplios volados que se repiten varias veces en la falda. Para señal de sumisión ella tiene los pies desnudos, que son más suaves que las ramas descortezadas.

Retrato de una dueña negra, que tiene apoyada la mano sobre el espaldar de una mecedora. Sus labios están brillantes iguales a una cereza mojada y sus ojos de pestañas largas tienen líneas de asombro. Su pollera se dibuja como una campana. Ha dejado sobre un almohadón unos brazaletes de ébano y de nácar. Se resguarda detrás de la mecedora cuando mira una fotografía antigua. Primer testimonio. Se dice a sí misma: "Esas mujeres de la sociedad aristocrática eran sensuales y aparecen con caras malignas. Tienen lunares y varias sonríen y se distinguen sus hileras de dientes. En medio hay un hombre barbudo sentado, tiene una fusta sobre las rodillas, un bravo, pero las mujeres de mirada fuerte lo rodean, todas con varas como imponiendo costumbres; todos murieron". Al lado hay una ventana que se abre en dos hojas, ella no quiere lo sofocado. Pero enseguida se vuelve hacia una vitrina. Segunda revisión o testimonio. Se dice a sí misma: "Recuerdos refinados que se conservan, cajas de penumbra, viejo ajuar doméstico, lozas y ángeles con puntas de luz, compungidos, o como siempre tercos".

La señora dueña se perturba, se mueve lenta, sus pies frotan las maderas, pies más color que las maderas. A ratos registra, abre armarios, baúles, registra, observa sobre algún desbarajuste, algo pasa en la hacienda, separa, empuja las perchas, los estantes le rozan los pelos; abundancias en que se halla perdida. Aquí su tercer testimonio: "Túnicas de seda pálida, vestidos exangües, vestidos de lana virgen, túnicas adherentes, camisolas de rayas verticales, de sisas cavadas, meterse entre las camisas no da mal gusto, vestidos muy plisados con breteles finos, bordados que señalan el canesú, vestidos gitanos de tafetán, vestidos muy antiguos de doble falda, telas de ceremonia, vestigios, pesadumbre de una estirpe, un vestido se llamaría califa, hecho de una pollera plegada en abanico hasta el talle, otro se llamaría princesa fría, hecho de tafetán adornado, mangas de batista y además faldetas cortadas en forma de follaje. Ropas compradas en galerías europeas. Hay collares de cuentas de piedras extrañas de Mato Grosso. El arca está roída en partes, se siente olor a pan seco, el tiempo ha hecho un trabajo verdoso. Surgen igual que sapos unas casacas y abrigos de zorro austral, unos sombreros de mimbres ecuatorianos, unos cueros secos, verdinegros, una ceniza cubre zapatos amontonados y botas con aplicaciones".

El señor dueño empieza por ponerle los dedos en la espalda, ella se mueve hacia atrás y hacia delante. Él la toca, con hojas de hiedra húmeda, con capullos y un cristal frío y mimbre blando, con otras cosas gelatinosas, lisas, tensas, tibias, en cortos y sencillos actos. Ella se molesta si aparecen en sí misma las tendencias o remolinos de los sentidos. ¿Qué evita Honorata Galantina? ¿Quién estaría seguro de complacerla? Tiene aire de que no se esfuerza, aparece de cierta severidad, pero su malhumor puede ser asunto de la imaginación de las muchachas. La señora dueña con ritmos descansados no anuncia nada preciso de su espíritu. No se sabe si sufre un malestar o contiene una dicha. Roca de mucha dureza y tenacidad. Quizá poniendo atención se le pueda ir descubriendo poco a poco más de un sentimiento. Hay que abrirle paso y verla de lejos, su leve ademán de hombros informa de algo.

Divagaciones de la sirvienta María Ilíaca. "Estos son días de recogimiento y trabajo. Cuando hago la limpieza el señor

dueño pasa, nunca pregunta, de un empecinamiento prover-
bial apenas si sacude la cabeza y podría partirme el pecho de
una patada o meterme la cara en el balde con agua jabonosa.
Tiene las miradas vagas comunes en él, a veces desmenu-
zadoras, capaces de reducirme a una tabla del piso, a una jamba de la puerta. Reconozco que estoy inmunda, que no per-
tenezco al tesoro social, como las señoras que le salen al encuentro. Dice la Biblia: sesenta son las reinas, y ochenta las
concubinas, las doncellas sin número; yo digo, movedizas y
bailan, bien, quieren divertirse. Pero no soy ellas, soy inferior
y triste. Si me hallo lavando el piso, advierto los pies del
señor dueño caminando a un costado y adelantándose, y yo
dejada en un cuadrado de silencios, y advierto su acercarse a
otras, o a una que tal vez él levante, tome del brazo, arrastre
amansada por un pasillo a cierta habitación, desde donde
enseguida se escucha leve música y hablar de mujer."

María Ilíaca lavando baldosas en un zaguán. Contra la cancela, puerta de micas, hay un balde y dos esponjas. Ella está
arrodillada, agachada, mueve las manos y mueve el trasero
cubierto por una pequeña pollera de raso rojo. La mira el
señor dueño, detenido cercano, atusándose el bigote. A partir de aquí hará otros gestos imprevisibles, pues no se modera
su eretismo nervioso, se crispan sus músculos, hincha el pantalón, aclara la garganta. Y éste es el esquema de su pensamiento: "caracoles, ¿quién está a resguardo de reacciones, cuan-

do lo que se ve es el centro de los sabores y pintado con tintas marcadas? Ésa es una actora, en la tercera fila de mosaicos, liviana, graciosa. Ya que mis propios nervios me vibran bajo la piel, lo que se ha de hacer no debo aplazarlo, no detenerme, porque será un goce vivo. Imagino sobre los primeros sitios a tocar, el revoltijo, después me embriagaré con un rito apropiado".

María Ilíaca lavando baldosas en un zaguán. Contra la cancela, puerta de micas, hay un balde y dos esponjas. Ella está arrodillada, agachada, mueve las manos y mueve el trasero cubierto por una pequeña pollera de raso rojo. Acometida del señor dueño, quien obliga a ponerse de pie a la muchacha. Entonces la toma de la cintura dócil, se fija dónde arrimarla y enseguida la empuja contra una pared. Pero ella empequeñece los ojos y sonríe y piensa: "¿cómo me salvaré?, que no me toque las ubres, marcadas por lo mojado de la blusa, así no sabré". A partir de aquí él toma el balde y la baldea. Embates del agua fría que a ella le corta la respiración y se cuela por caminos diferentes, en la espalda, en extrañas partes, entonces la muchacha lanza suspiros rápidos y añade sonrisa. Pero él paso a paso, le estruja la esponja en la cara, sobre el pelo, encima de los senos, se la mete entre los muslos; de modo que aumenta un charco que ella pisa con chasquidos, y en respuesta irritante añade sonrisa, aún jadeando. Cuando él más la acosa y le separa las piernas para que resbale y caiga. Pero corre Flor y llega, para tomar a la muchacha del talle y llevársela arrugada, húmeda, fresca y flexible.

Las sirvientas de día se dejan tocar, juegan a las morisquetas, a un desatinar. Quiénes levantan las cortísimas faldas de las muchachas... unos adolescentes que dicen cosas desviadas, más bien sucias, y cuando ellas se acaloran son empujadas y reciben unas caricias rápidas. Ellas los reclaman, "Babil, Babilas, tierno Akimetes, Akimetes". Danzarines de rato en rato, ensordecen, golpean instrumentos, agitan las caderas iguales a perros empapados. Más tarde empieza y crece el silencio. Luego María Ilíaca atraviesa tres patios donde hay canillas de bronce brillante y macetas con malvones. Ruedan unos guijarros. Ella mira el fin de la tarde. Hay remolinos en unos prados, un aeroplano deportivo se pierde, parecido a un colibrí, con ramas de viento que lo envuelven. Las últimas muchachas retornan del lavadero, llevan bultos, tuercen sus figuras. Un espíritu de carbón asedia en los dormitorios. Las tentaciones se abandonan como agüeros y recuerdos.

SILLAS

Ha pasado el tiempo. Ésta es la confidencia de Honorata a Flor, mujer vieja, en el interior de una glorieta circular, donde hay clases de sillas. El lugar es más bien oscuro, es inquietante el tema. Flor no interrumpe, escucha, se transfigura a veces, desconfía, se mueve en su silla pintada de azul de Prusia, y mezcla ideas de voluntad con incomprensiones, se siente hostil y amiga, se acomoda en alguna ocasión levemente dedicada a la envidia, después de todo está pendiente. Lejana, arrinconada, hay una lámpara de flecos y luz tenue. De Honorata, que se sentó en una silla pintada de amarillo de Nápoles, se ve que entrelaza los dedos. Veinte collares de frío le bajarían por las piernas. Mientras en el campo se quiebran las cortezas de unos árboles y se estremecen las ramas. Están imaginativamente en una gruta donde irán conversando y durmiendo, alternando. Se habla sobre un hombre como de un jabalí cortado en rodajas y colgado, ciertos aumentativos resaltan.

"El fresco me hizo sentir huecos los ojos e insomne, y aunque me abrigaba lo sentía en las axilas y en la espalda.

Después con escalofríos, me daba cuenta que lo malo era como él la llevaba esa noche, fue para arrendarla, era el término que usó. En los últimos días había hecho la clasificación de las máquinas y aun entre los señores y los trabajadores andaba más callado, pero esto siendo no infrecuente en sus costumbres, no alarmaba, aunque había unos indicios, perdigones sueltos. Dejaba la escopeta de lado, había indeterminaciones y yo no quería hacerme delirios por ideas mínimas; lo cierto es que esa noche se la llevó. Ella trataba de no moverse, él la tomaba del brazo, le hacía inclinar el hombro, le hacía dar pasos recios. Me hubiera bastado en el momento hablar con ella, tomar el mismo vehículo un rato, pegadas las dos, para sentirle el costado, saber, que me dijera de su anhelo y habilidad, de su verdadero ánimo, si sucedía lo que yo me había figurado, si ella estaba embaucada. Inevitablemente me habría mostrado las cosas de su mente, entreabierto los deseos. No me hubiera quedado loca, entre ideas equivocadas, y justamente quedé así, mirando la noche verdosa."

"Vi los árboles como a través de una pecera, temblando, los vi a ellos pasando entre negros y caballos por el camino de grava, donde los caballos y los negros quedaron mucho tiempo igual a estatuas que festoneaban y también se perdían en los puntos oscurísimos de la perspectiva, y una de las mujeres me tomaba de la mano para hacerme salir de la bobería. Apúrese, exclamaba; parecía querer atraerme hacia alguna realidad, despertarme, mientras un sentido dramático o de ensueño forcejeaba para hacerme quedar entre esas imágenes que flotaban, asolaban y después se quedaron almidonadas, como elementos rígidos de la escena, se hicieron cúbicas, lineales y al mismo tiempo terrosas, cegadas por tules de tierra, igual que reversos de cosas en un raro orden; algunas imágenes idénticas, siempre cerrándose hacia el fondo, yendo a hacerse sitios hundidos, moribundos, resbalones por donde iban los viajeros para ese no muy convincente trámite del arrendamiento. Reconocía que estaba en la despedida sin pañuelos, ni abrazos, ni frases tiernas, borroneada yo misma, no queriendo moverme a pesar del tironeo de una sirvienta que además me hablaba, Señora, deje eso, déjelo, le está royendo la vista, la pone muda, así no gana mucho su esperanza."

"Él me dejó en la mano una cinta, todo lo que podía esperar, una seda descolorida, porque no llegaba a ser blanca ni muy larga, y enseguida la até al ceñidor haciendo un moño para mejorarla, darle un significado trivial aunque simpático, y el moño no quedó enhiesto sino decaído, un adorno que parecía una rosa pálida, pero sostuvo un rato mi razonar aplicado a unos deslizamientos de los extremos de la cinta, que hacían una V invertida encima de la falda, y vi que era pobre su regalo, una nada imposible de recrear, algo más bien para perderlo o tirarlo intencionadamente a cualquier zanja cercana. Pero tal vez era algo mejor que un regalo, un manifestarse, tal vez una frase como, No pienses que te olvido. Algo tan romántico que no podía ser reemplazado por cosas ostentosas, quizá más viriles y engañadoras, quizá claramente insinuantes. Y me perdía acariciando eso que tenía suspendido, que era lo único veraz y con posibilidades de ser comprensible, lo que permanecía sobre mi cuerpo, porque todo se iba, ellos se iban con una excusa que suprimía algo esencial, y sin embargo estaba en el ambiente, una extrañeza para mí tratando de no creer en sus tendencias hacia la muchacha."

"Pero mi ansiedad volvía hacia ella, presintiendo que su viaje era largo y desfigurado, que estaría con las manos tocándose el canesú y un mirar sin ingenio, inmóvil sobre el horizonte al que vería igual que a un hijo soñado y perdido, ya incrédula para siempre porque no le diría más que amenazas la línea delgada, filosa, cambiante, asemejada a un cuchillo puesto delante del rostro; de ahí que no tendría ni lágrimas breves para ese momento que sería su peor momento, su otra derrota. Lo supe, sin que ella moviera un meñique para indicarme su fracaso, que arrastraba también el mío. Y no salí pidiendo explicaciones; ése fue mi error, nefasto para ella y para mí. Pero estuvo la luz amarilla y sacudida de los cabellos de él que enlazaba las idas y venidas, el resonar de botines, sus persistentes demostraciones de lógica, de congruencia y hasta de ridiculizar los hechos. Y todos a engullir, soportar sus expresiones para no irritarlo, ¡que no se exalte!, de modo que la obediencia fue la ley común absoluta, observábamos y cumplíamos sin defecto, las almas ovilladas. Así tampoco la muchacha dejó de colaborar pero usó una refinada falta de entusiasmo, e impecables silencios, vacía miraba la armonía falsa que él impuso. Las dos estábamos igual que atadas a riendas y rebajadas. Entonces, cuando terminaron los últimos preparativos se fueron y hubiera sido mejor que yo no viese la partida."

"Después se me hizo un vivir al revés y removiendo sobre el asombro, sin apoyarme en él ni en nadie, porque casi todos se volvieron rapaces; hubo caricias de rapaces, oprobios de rapaces. Envueltas en sus orgullos las sirvientas gordas decoraban el ambiente de pequeños actos; de bocas sonrientes y ojos desdeñosos. ¡Qué atmósfera! Y estaba sin usar la indignación que usan las damas dueñas, porque mi condición disminuía cada minuto, descendía de puesto y la palabra de él, que antes había sellado un orden benéfico para mí, aparecía olvidada, ya sin acepción, no cumplida en absoluto, porque los términos ahora querían decir otra cosa, con decisión significaban una mengua, no me procuraban sino pocas diferencias con las otras, tan pocas, y todavía diferencias desagradables. Yo venía a ser igual que una bailarina inferior, de las zonzas que caminan repitiendo frases. Y luego sucedió que las mujeres comían a mi lado con furtiva complacencia, las caras casi sobre los platos, pero miraban de reojo y hacían muecas por risas detenidas; hasta oía bromas sin referencias netas y como interrumpidas. Las manos de ellas producían golpecitos insolentes. No sé hasta qué punto mis orejas se volvían miedosas para la interpretación de ruidos. Después, estaba desazonada, me sentía un residuo, un estorbo abandonado, juguete de pedazos rotos que se deja dentro de un armario en el estante inferior, para no encontrarlo en los pasos que una da por la casa. Me tomaba a mí misma como objeto pequeño, me iba, me hacía indiferente, escuálida, oculta por alguna celosía, rehuía los espejos para no repetirme, quería vestir del color de las paredes."

Honorata se cambia a una silla pintada de rojo veneciano y sigue su relato: "Entonces me pedí, sin voz, que tenía que vencer. Quizá recuperando un modo infantil caminé como aplanando los guijarros, lo molido, y raspándolos a veces salían chispas. La sirvienta llamativa se fue con él, se metieron debajo de árboles en la noche perturbada, la noche se cerró, cuando se iban dejaron de escucharse poco a poco los ruidos resecos, como si ya no los quisiera, desobligada. Luego no resonaron ni ellos ni el aire, ni caballos de mala muerte, ni carros ni motores. Todo se profundizó en lo frondoso. Hasta allí parecía vencer; pero no después. Si cuando una austeridad me rodeaba junto a las sirvientas, vencía; pero no después, cuando dejé las prevenciones y pensé en artificios. Pensé en los adolescentes que una vez me habían desnudado, los muchachos que andarían detrás de las casas, en rincones a mi alcance. ¡Oh, la serie folletinesca!".

Notas para la narración de una mujer muy joven, sentada en una silla rojiza, donde hablará acerca de sucesos con dos adolescentes: "Me acordaba de un querer de antes". "Ella se fue con un tapado recto de guanaco, una piel de pelo largo". "Estando sin oficio ni beneficio, caminé una noche en sentido contrario". "Procuré andar sin alegría, llevada por el rencor". "Encontraba dos en una cama tullida, los haraganes". "Entre ellos y yo fintas". "Oscilaba todavía, mi piel escarchada por mucha sensibilidad, azúcar brillante". "Decían, te miramos como algo adorable y preferimos tu espalda". "Declamaban, lo que ella contiene es amor, usémoslo, hasta sacar de lo negro lo rojo". "Frases tontas, son verdaderas mientras hacen vivir". "El conjunto lo aprueba, yo debo aprobarlo, si en el escenario permanecen inmóviles, no debo agitarme". "Se apropian de lo que desean, aprietan fuerte, soy cosa viva". "Siguen en lo demás sin transición, ¿qué decencias no se rompen?, me denuncia el olor, acaso estoy radiante, descienden sobre mí, me sobresaltan, encojo el ombligo, trago lo que puedo". "Acontece que, lo fugaz se quiebra cuando aparece en sus manos y repiten de otra manera".

"Querida Flor, nunca llegué más lejos de cuatro metros del umbral. Pero una vez, sin cuidar mi nombre, encaminé los pasos hacia el refugio de los adolescentes. Palabra por palabra pensé: nadie ha escuchado dentro de mí los casi gritos, si alguien me toca, mi cuerpo es más caliente que su mano, mis muslos me hacen girar, nadie puede salvarme de esta noche; aunque un viento frío borra tramos del cielo y agita franjas en los bosques, emblanquece partes de sembrados, modula los techos. Cuando los viejos silencios de las casas se restablezcan, atravesaré el camino cubierto de conchilla. Porque nadie quiere retenerme o aun decirme, ¡austera vencedora!, no puedo salvarme de esta noche".

"Vi a esos varones, los ojos más atentos que las ratas; uno estaba resguardado por un biombo, otro vino desde un pórtico y llevaban puestos sus delicados pijamas. Arreciaba el viento contra una ventana, me pusieron entre oscuridades, luego me mostraban los sexos alargados, silbaban semejantes a reptiles de una baja selva, yo levantaba la falda, hervía cuando ellos me tocaron y les arranqué las ropas para que estuvieran muy desnudos. Por sus fines entretenidos y fantasiosos me mojaron los pies, por algún rito, me humedecían los pezones, los chupaban con sus trompas; a veces eran iguales a títeres planos hechos de cuero, saltaban en círculo, sus manos me aderezaban, maceraban, dulcificaban, me revolvía para ellos, era mucho lo que querían. Me ganaron con palabras para hacer después algo intolerable. Pasaron días donde cumplimos los actos más sorprendentes y no me atrevo a contarlos."

"Uno sí uno no, hacían el sorteo, alguien perdía, tenía que esperar su anhelo. Uno hachaba, yo lo admiraba hachar y el muchacho reanudaba con esmero su trabajo, pero el otro tomando lo sombreado en un lugar se ocultaba y nos cuidaba. Gastaría su tiempo. Era una tienda beduina. Pero Honorata suspira como una máquina de pistones, no le molesta más la enagua de tul ni nada, desvestida negra tibia que se extravía, su pensamiento va hacia el que vigila afuera, es difícil vigilar así, pero del que está con ella conoce el deseo, juega a tirarse mirando hacia arriba, cae de espalda, emocionada participa del movimiento de una cara, una niebla y baja un cojín para detrás del cuello, pide con los brazos, bambolea la cadera, hace empujoncitos con el vientre y el monte, acarician las palmas de los pies, las piernas velludas de él, y abre bien los muslos y su pelusa pubiana recibe la largura."

"Pero querida Flor, me examinaban como a un atlas, en una cama de amores; mis rincones abiertos. Tenían libros de colecciones históricas de castigos. Acabaron por inventar, ellos decían, uno de esos aparatos para someter a las niñas malas. No era fácil interrumpirlos, un verdugo hacía poses, otro peor. Solían hablar de que yo era incorregible, mientras entre sus manos estaba igual que atenazada, por los brazos, en las mamas, en las piernas, por los costados. Después me tironeaban, era un cuerpo desmembrado, y de nuevo atenazarme y casi arrancarme la carne y yo decía perdón y perdón, cuando eran ellos los que debían disculparse, pero los besaba de buen grado si no me apretaban. El inventario de diversiones y sufrimientos fue como sin fin. Salía de las sorpresas e imitaciones transformada, confundida, temiendo, deseando los avisos de repetición. Nadé sobre un muchacho, sobre otro y ellos sobre mí, escuchando malicias mi cabeza cazadora de huracanes, en días consecutivos sin restaurar fuerzas. Pero también hacían prodigios de amabilidad, por ejemplo, si dormía me sujetaban los labios con dedos suaves y me llenaban de besos para despertarme, o me daban mansos golpes entre los pechos."

"Fue la exageración de sus recursos y mis ardientes disfraces para ellos. Cuando despojándome, una orden cumplía en tiempos, primero avanzar en puntas de pie, segundo hasta la mecha extender mi mano, tercero preguntar, ¿qué quieres Babil?, y una gama de señales eran las consecuencias a menudo viciosas y chistosas, ya entonces desnuda como una figura larga y la coronita de zinnias tapándome el sitio, cuando ellos leían en unas hojas y aplicaban literalmente lo que leían. Querían saber mucho, saber era lo principal, abundaban los mandatos que me apresuraban el pulso, de las cosas acostumbradas pasaban a las cosas chocantes orondos, ojos de varios animales sobre mi negrura dedicada a seguir sus ademanes, y se movían con extravagancias. La libertad invita a los artistas, que son unos peces eléctricos, y situaciones así no podrían pensarse, adiestrada en las rarezas que no debería nombrar, no me atrevo a referir, algo de lo cual no puedo hablar."

Flor, mujer vieja, sentada en una silla azulada, escucha detalles de un realismo narrativo, y filigranas y calados. Hay estabilidad en su cara geométrica, hasta que aparecen los tonos de la madrugada. Sonríe y piensa: "Es bella e inocente nuestra dueña, pero, ¿es también así como se debe considerar su relato en prosa?, ¿qué obligación hay de escucharla? La oigo destejiendo los pecados y la veo sentada en la silla rojiza, cerca de su sombrilla por demás innecesaria, con sus pequeñas botas confeccionadas en cuero blanco, abotonadas a un lado, y entreveo sus medias rayadas de colores vivos, sostenidas en los muslos por ligas redondas de cinta blanca de encaje y hebilla. Piernas que podría tocar. Ha cesado de excitarse y habla cada vez menos, con mucha suavidad, hasta llegar a una somnolencia".

CAPILLAS

Observación de un paisaje con dos capillas paralelas. Ambas están sobre una colina. En el frontispicio de la capilla mayor los vanos se hallan rodeados de espectros de talle alto y miembros demasiado largos, que no asustan, no fantasmean carcomidos por el tiempo. En el frontispicio de la capilla menor, la única imagen, una mujer abstraída con el policromado que se distingue todavía, está dotada de una banda que lleva la inscripción, Similitudo errorem creat. Las puertas análogas tienen arcos decrecientes rehundidos. En los ábsides las paredes que se cortan en aristas están cubiertas de mayólicas blancas, resquebrajadas muchas. La tierra del contorno es apisonada, un cántaro roto está junto a una fuente de piedra, unos cerdos nacen de estatuas hincadas en el suelo. Un cerdo huye perseguido por moscas lilas. Sobre terrazas escalonadas hay arrojados, astillas grandes, aserrín y metales. En el declive de la colina hay una torre encaramada de techo y vigas vinosas. En el lugar bajo unas casas abigarradas se separan apenas por calles estrechas que son más bien socavones. En construcciones viejas a menudo asoma la maleza entre los balaustres. En jardines desarreglados hay petunias ramosas, frambuesos y beleños de flores amarillas y violetas. Unas quintas aledañas pobres estarían abandonadas y se pierden entre tapiales o cercas de ligustro. En un sitio hay fractura del terreno y escarpas arboladas. Por el fondo pasa un río lento reflejando nubes aguaceras. Cuando se ennegrecen las nubes huyen unas aves. Llueve, agua lustral, purifica las capillas paralelas, borronea las abigarradas construcciones, produce rayados en las quintas de verdura, produce brillos en las petunias ramosas, los frambuesos y los beleños de flores amarillas y violetas; embarga la colina, hace sutil la torre encaramada.

Boceto de un cura raro. ¿Qué forma imita? Luces ponen fuegos en su frente. Si viéramos líneas de puntos desde sus cejas, desde sus gestos, líneas que partieran desde las intenciones de los pies, estaríamos delante de una palpable palpitante madeja de deseos; una vertiente suya verosímil; los ataques de la concupiscencia moderados por unos actos comedidos. Acerca de lo figurable, le es añadido el doble cuerpo, o reflejos sobre un piso. Puede aparecer, cubierto de una casulla oscura, como alguien afectado, pundonoroso, el bien conseguido, de suaves reticencias, leves concesiones; pájaros grises. No se entiende lo que es sin sus eufemismos. Puede aparecer, de cara de papel, croquis de un grande, un busto adornando una fachada. Puede aparecer, como sucesión de enigmas, sentimientos de poder y violencia de razonamientos, y del lado interno intoxicado por tentaciones enormes, furibundo de una mirada penetrante que no se puede olvidar. Difícil colocación de esas acumulaciones.

En el interior de la capilla larga. Que es de una sola nave con bóveda en cañón de sillería y columnas de hierro colado. Las columnas acanaladas tienen en sus tercios inferiores adornos representando serpientes; los fustes son huecos y se ven casi separados los capiteles labrados con representaciones de hipogrifos. Tienen también ménsulas para el apoyo de las vigas. Hay algunas columnas fasciculadas, pero casi todas están embebidas en los muros hasta la mitad de su diámetro, y se separan entre sí por distancias acertadas e iguales que dejan lugar para hornacinas; allí se hallan unas imágenes de ojos vidriosos. Altas hay ventanas con vitrales. La contrapuerta de la entrada tiene dos hojas con tallas de adornos abstractos en los tableros. Desde allí se ve el espacio prolongado y un aire rosa flota, pero hacia lo hondo crece una penumbra porque parecen tupirse las columnas negruzcas. Cada santo o espíritu está modelado exageradamente, sin reducciones de tamaño ni simplificaciones; a veces se aprecian los límites y engarces de los trozos; están cubiertos por sus equipos detallados con perlas de plata, piedras tal vez preciosas, huesos pulidos y abundante cobre rehaciendo figuras de plantas, y tienen en sus manos ocarinas, cornamusas, cornetines y báculos como signos de supremacía. Uno, llamado Arnulfo, muestra un cuerpo de bronce bruñido; está en actitud helada, tiene por ojos dos esmeraldas y se apoya en un garrote revestido con piel de puercoespín. Unos piadosos van hacia él, excitados por darle besos en los pies y acariciar la maza dura. Hasta se arremolinan y suplican a ese que, según dicen, ha domado los corazones enloquecidos.

Registro de las imágenes patrocinadoras según las ve el cura Pedro Lampsaco. En el ábside abovedado está Epafrodito sin quietud, sus tres cabezas mitradas se agitan, seis ojos incesantes vigilan a los engreídos que obedecen las persuasiones de las víboras. Hugolino lleva un lirio en la corta melena, Hermelando pisa una lamprea; ambos con ojos brutales vigilan a los que concurren padeciendo deformidades o vicios. Meleusipo, el que lleva argolla en la nariz, tiene ojos de pasta de color verdoso, sana de la peste de la fornicación. Trifenia, la de grandes pendientes en las orejas, tiene ojos incrustados absorbentes, saca la lengua de loza, ridiculiza a los que fornican por precepto. Espeusipo extrae un pequeño viejo demonio de plomo de la boca de una muchacha desacreditada. Beatriz d'Este tiene enaguas de cintura y pechos lilas proyectados de los que brota un aceite acre, es por algo sobre el deleite de la fornicación. Eulampio y Eulampia llevan estolas y aceiteras, es también por algo del asunto preferido. Eleusipo con atributos vagos y pesado manto trae una ofrenda en una bandeja. Hay también un oscuro cuadro pintado al óleo que representa la procesión de los servitas. Otro oscuro cuadro pintado al óleo, muy restaurado, muestra el sosegado convento de Ursidongus. El cura Pedro Lampsaco va diciendo nombres, para aplacar la fuerza penetrante de los ojos de los patrocinadores, que suelen ser fragmentos de vidrios engastados, pero que igual que naturalezas vivas lo fustigan, le provocan discusiones internas, muchos fuegos. ¿Para qué esos triunfos de las estatuas? Y él camina, sus tobillos vueltos escarlata. Pero Eremberto, el cambiador de vientos, está subido sobre el capitel enflorado de una columna florentina; es el que lanza las ráfagas que pueden apagar el incendio actual del cura.

Pedro Lampsaco entra en la capilla corta. El lugar es de planta rectangular, artesonado sencillo, paredes donde hay pocos relieves y ajimeces. Los pisos son de mosaicos de piedra. Él mira un repertorio de beatas de hierro colado; están para el regocijo común y el de las cofradías. Circulan en un halo sus fantasías. Piensa sobre el arte libertario, sobre las apariencias descorteses, sobre el gesto excesivo. ¿Cuál de las beatas es valiosa, muy estimable? Milburga, directora de pájaros, preside el ámbito, lleva una corona almenada simétrica con aplicación de fundición. Febronia tiene una corona de placas de estaño, se halla desvestida y aletargada, entre hombres de una mesnada bárbara. Potamiaena tiene la corona de hojas de plata, es obligada por unos guerreros a levantar la ropa y descubrir lo bajo de su cuerpo. Diosisa tiene un sombrero oxidado y provisto de roblones, está rodeada de jóvenes licenciosos. Dimpna la limosnera arroja monedas y se hace acompañar de un bufón de bronce, popular entre los lunáticos. Fándilas levanta los brazos que tienen brazaletes de adornos cincelados, a su lado hay atabaleros moros. Nunila y Alodia tienen las piernas marcadas por el punzón del repujador, a su lado hay mujeres de mala vida insinuantes, hacen feas muecas. Estefana Quinzani la rígida muestra sus uñas crecidas a las que se han añadido esmaltes tabicados. Pero cerca de la puerta de ingreso, en una caja de vidrio, yace desnuda la virgen Fara, que es una grande y desanimada muñeca de loza.

Pedro Lampsaco habla solo, parece un trueno disminuido, su voz se aplica sobre las paredes y su paso raspa el suelo. Es una presencia concentrada lóbrega que ensucia un lugar preciso. Detenido frente a Fara la yacente, habla: "Esta virgen es lisa, lerda, sin muslos fuertes, es de tez lechosa, mugrienta donde puede serlo, también leve de palmas, apacible de sonrisa, todos los accidentes son ligeros. Sus piernas quebradizas están en un largo flemático descanso. Es como de carne de pescado blanca y fallas y el pubis sin mata, no de vientre elástico y compacto. Se halla abismada entre sábanas y encajes de Chantilly. Tiene una cabeza pequeña que se apoya sobre un cojín. Tiene una mejilla retocada y otra manchada. Porque hay un polvo fino sobre el vidrio, el sol no traspasa, no entra en su cámara pálida.

Recitaciones de Pedro Lampsaco. "Las palabras demasiadas arrastran codicias, los esfuerzos para detenerlas traen ilusiones. Son las pretensiones de hacer una máquina estabilizadora del océano. Los flujos de las mareas cuyo horarios olvidé, los lugares de incesantes tormentas y los de incesante calma, las aves emigrantes mezcladas con nubes, los peces superficiales que hacen estallar el agua y los que navegan igual a dedos en las profundidades, las escorias en las bahías, las noches hipnóticas más temidas que el oleaje fuerte. Son párrafos que no podría soportar. Pero debería tener el sosiego de las aguas ecuatoriales, o estar en grietas, evitando las altas furias del mar. Apartado, reseñador de las convulsiones de los hombres. Pero soy un personaje solo, recluido, tomo con placer un aire de los retablos que contiene a los cadavéricos que hacen prodigios. Cada vez con ellos tengo complacencias. Vigilantes semiocultos y torcidos, no disminuye mi goce cuando retorno a ellos, hasta que los extremos del gozar ponen una mano sudorosa y siento avisos graves, ocasionales, entonces escapo de las columnas y arcos, huyo afuera de la primera puerta, igual que un diablo carbonizado."

"Veranum tempus; deshace el alma un calor. Los espíritus beatos esparcen fulguración desde sus espaldas. Sobre el margen de mis arrebatados. Sucede la paciencia de estar arrodillado cuando la rótula duele, por lo que tengo que ladearme para recibir el fresco de la baldosa, y ladearme otra vez cuando el hueso vuelve a hervir. Este ritmo es para la hora de la entrada de las viejas que musitan. Se ven los ramajes que les suben por el cuello, se ve esa trapería que les cuelga, marchan sobre listones del suelo, transpiran, pasan indiferentes al lado del traste de hierro de Potamiaena, pero se tocan sus solapas, bolsillos, bolsas, lo superfluo que distrae. Los pilares alternan con membranosos escondrijos, de una columna pende una rosa de hierro, los sitios son oquedades. ¡Ay, las peregrinas insensatas!, ¡quieren quedarse ratos en los lugares, en los pormenores!, es para renegar por sus actitudes desocupadas, y echarlas. ¿Acaso no hay motivos para que me aparte de ellas, de sus estilos incisivos, de lo tenebroso que proyectan sobre los muros, de sus voces irritantes, de sus estridencias?, ¿no es para volverme un disparatado estando entre ésas? En cambio, ¿no es mejor que acaricie mi cuerpo, mi vientre más agradable todavía?, ¿no puedo pensar que lo luciente producirá mi saludable encantamiento y ha de arrebatarme?, ¿no debo acaso crear ideas de parsimonia contra la agitación del ambiente?, ¿no debo acaso imaginarme un caminar por prados, en soledad? Allí escucharé la siringa del pastor, vendrán mansas las ovejas, bultos bellos, hacia el redil, con apenas murmullo. Habrá claroscuros en los eriales, moverá mis pelos la brisa."

En el interior de una sacristía. Cuando deja de recorrer las capillas, el cura Pedro Lampsaco se desprende también de sus ideas ásperas, de los motivos predilectos, abandona los desconciertos, entonces es inundado por elementos de otro espacio. Está casi inmóvil, lleva puesta una sotana ajada, en la habitación de pavimento de ladrillos, ángulos claros y ancha ventana. Donde hay calma, a pesar de la presencia de un cuadro con resquebrajaduras en la tela, que representa a una comparsa de putas amontonadas, de rostros pálidos, que van hacia una caverna tenebrosa bregando y chillando, mientras las miran gansos embelesados y ángeles tranquilos de tonos mates y perlados. El lugar tiene buena marquetería y muchas repisas están cubiertas de felpas verdes; allí se alinean frascos de febrífugos, frascos del remedio para frotamientos Urodonal, más algunas artesanías. Sillas de respaldo elevado y traza sólida se hallan arrimadas a los muros. Pedro Lampsaco mira hacia fuera, interesado en un terreno llano cubierto de pasto llorón y asoleado, porque a no mucha distancia por un sendero vienen dos mujeres.

Una mujer vieja y otra muy joven marchan, penetran en el paisaje hacia la sacristía. La vieja, hombros caídos, va descuidada, mueve mucho los brazos. La muy joven, espigada, escueta, suelto el cabello, parece tener ansiedad y seducción, sin duda malicia; tiene puesto un vestido azul del que sobresale abajo la enagua de puntilla blanca. Vuelan briznas de una parva. Pedro Lampsaco, espía de gruesas cejas, persigue la escena exterior que avanza con cierto esplendor y aliento. Exclama entre toses, la voz congestionada: "¡Cielos, es para despertar húmedo, vienen dos sacristanas que no son lo que deben ser!". Deja entonces su punto de observación, endurecido hace ruidos, cof, cof, cof, camina, pasa debajo del cuadro del puterío y los ángeles, se nota que la sotana está lustrosa a la altura de las rodillas. Empieza para él la posibilidad de un relato nuevo. Vuelve a una de las capillas, los ecos de la nave le retumban.

Encuentro de dos sacristanas con un cura ceremoniático. Hay saludos y saludos, ellas se inclinan, él como si les dirigiera sombrerazos. Ellas están diciendo que acaso esperaron días para conseguir el oficio, que se lamentan de algún cansancio por el viaje. Él está diciendo que sabe vienen de un lugar de urbanidad, pero, ¿qué son esos vestidos?, que igualmente las recibe por su excelente reputación, materia histórica, pero que deberán reconocer su alto rango de cura, el carácter de dominio de un hombre, que si bien su dialecto, que empezarán a conocerlo por su sonreír, si bien el provecho de un servicio no es eso, que aquí es el único que asoma su opinión, si bien hay organismos o elementos que lo acompañan, y se acostumbrarán, a propósito tienen para consolarse el arte de los recintos que es para apreciar, y como comparación explícita, para llegar, ¿ven?, atravesaron esas hierbas ásperas, pero ayudadas por los tibios del sol; además que él les proporcionará cuanto necesiten, que también se hallarán a gusto, pues por las palabras se sabe a la gente, y etcétera. Hasta dice galanterías: "Como ninfas en vivo, mejoran el color del ambiente, deshacen a los malos ímpetus, serpentinas de exquisitos matices". Aunque sus ojos se agitan, centellean bajo las temibles cejas. Las mujeres, por lo tanto, lo miran atónitas, soportan, luego se miran entre ellas, recuperadas; él turbado, como siempre, por sus sentimientos confusos, aprovecha una excusa para eludirlas; que observen los exvotos, les dice. Y se va, se escurre, como se hace una pelota un erizo.

Cura con las manos en las patillas mirando a las sacristanas que miran los exvotos. Ve a la mujer muy joven concentrada, ve la melena, la espalda, el relieve de las nalgas en el vestido. Piensa: "Dice el coro de Judá, el Señor las devore a todas. En términos precisos ella cae de pie, sin embargo, no seré el águila sobre la cordera, aunque, ¡bien me crecen las garras!, uñas engarzadas escamosas, polvorientos nácares, afiladas micas, trozos de conchas marinas, cálamos duros, huesos de pico. Se tuerce mi boca, mis labios se hacen acero cortante, mis cejas se mueven como siendo postizas; pero luego mi pecho será impávido a los estremecimientos, mi cintura rechazante, mis miembros quietos al lado de la presa. Porque ella es una reservada figura, pasmada e incrédula, que trae colirios en los ojos para su mirada sensual sobre mi colección; no hay que hacer eso; no discuto acerca de las costumbres, recorro devorando con mis propios ojos, vuelvo entre las columnas sonoras, debo descansarme para pensar en todo lo que sucede. Tengo propiedades de caballero forjando mi conciencia en viril soledad. Pero hay momentos de olvido donde mis tendencias son únicamente mentales o visuales, esto es peccata minuta; en verdad ya no me dirijo al cuerpo de la virgen en la caja de vidrio, no quiero desgastarme en incertidumbres y naturalezas muertas. Me empasto de sudor cuando el pesado calor persigue y acaso deforma. ¡Que no use la delectación venérea!"

Colección de exvotos en una pared de la capilla corta. Balanza de hojas finas de oro para pesar a las almas. Corona de hojas de plata. Corona hecha con pedazos de cuernos. Hoja de espada de bronce con nervadura central. Lanzas arrojadizas de estaño y madera dura. Lámina de plomo con la representación de una vaca atacada por un gato grande. Caballo con arreos. Cabeza de caballo de bronce y colgajos metálicos. Jinetes de hierro dormidos sobre los animales. Figuras humanas de plata con piernas alargadas o un brazo alargado o un pie alargado o un cuello torcido y alargado. Grabado en pizarra que representa a una mujer heroizada con párpados oblicuos. Grabado en lámina de plomo con orantes y díscolas. Tres ménades de bronce cuyas cabezas faltan. Un músico de estaño sentado y en el acto de batir un tambor. Dos mujeres de plata con instrumentos músicos. Joven de cobre verdoso colocando su mano sobre una joven de cobre rojizo. Retozadores de hierro y hetairas. Mujer de plata con pechos desnudos y gestos para el arte de encantar. Vasija de ágata con pezones.

Donde se halla Pedro Lampsaco, se vería una lenta caída de libros en un aire mohoso. Un aire que podría confundirse con el agua de un estanque mohoso. Se verán unas ventanas laterales de vidrios cuadrados: un cuadro tiene un ave tonta, otro una cara boquiabierta, otros superiores cuatro lunas, los inferiores son pardos y algunos nubosos. Se verá sentado al cura en una silla de palos torneados, mirando una puerta de tablas, porque piensa en la lenta caída de libros. Fuma un cigarro y apoya la nuca en una mano. Quiere descansar, olvidar y descansar, de su fuego eléctrico, de sus funciones pasionales, de lo que le salta semejante a un látigo violeta. Abominables tentaciones que quiebran el rigor. En los anaqueles altos, detrás del humo se verán los volúmenes de lomos gastados. Estarán, la Historia Natural de E. Pontoppidan con los abundantes documentos recogidos por el sabio obispo, el libro Vita di Verdiana, el Kalendarius Utriusque Ecclesiae, la numerosa Analecta Bollandiana, el Liber Pontificalis conteniendo actividades y construcciones, un tomo de la Aureole Seraphique, el Capitulare Evangelarium escrito en el estilo carolingio minúsculo, el Philoteus de Teodorato con la historia de Talasio el viejo conversador, y del Angélico el opúsculo De Unitate Intelectus. En los anaqueles inferiores, hundidos por lo cenagoso, habrá tomos escritos contra los hombres sin voluntad, contra los sitios lejanos y mentirosos de la acedía, contra los motivos del esplín, contra la melancolía que cuaja la sangre y es insuflada por el maligno. Se verán: Subtilitates de Hildegarda de Bingen, De Morbis Acutis et Chronicis de Caelius Aurelianus, el Libri Duodecim de

Alexander Trallianos, De Anagallide de Carolus Ludovicus Bruch, y por último De Vita Triplici de Marsilio Ficino, o manual de higiene para uso de los intelectuales.

Donde está Pedro Lampsaco, entra María Ilíaca y se sienta en una segunda silla de palos torneados. Su vestido es de color añil, se estremece, ese cuerpo tierno, esa muchacha quizá con dobleces en el alma, extiende la falda, la despliega igual que una bandera y deja ver bastante de la enagua que tiene puntilla blanca en el borde. Sumado a esto cruza las piernas con lascivia. Elogio de las piernas de la sacristana: eumetría, fémures largos, rodillas netas, piel tensa allí en tanto las pantorrillas son ondulaciones plácidas y los tobillos y calcañares líneas finas, y los pies con dedos no abiertos y las uñas pintadas color de sangre. Un echarpe de zorro está tirado a su lado. Mientras el señor cura se coloca de pie contra un fondo de cal y puede pensar que ella es toda gloria del campo, una muchacha picante sinuosa, o quizás imagen apta para la capilla, rodeada de unos amorcitos con sus pequeñas cornetas. Y cree tener el tiempo para hacer lo preciso, desprenderle el corpiño de tafilete, prepararla para obedecer en cosas duras. Cuando un desacuerdo cómico, ella ríe, se produce, rompe la escena. Y él queda como herido por una lanzada.

En un momento en que están las mujeres solas, la vieja Flor reprocha a María Ilíaca. "¡No tendría que ser esto!, ¿por qué llegar hasta él y florearte para que le salten los mil sexos?, te gusta estar en la silla con símbolos desconcertantes, ¿qué farsa empieza? Él únicamente debe añorar justas nobles, recreos honestos, literaturas de frases correctas. Y no logro entender lo que está pasando. Y quiero hablar de cómo tú, la Ilíaca, quiere mostrarse y despertar en el señor cura las más groseras sensaciones, hacerle nacer la más asquerosa tribulación y unos jugos, verdaderos jugos salados, atractivos para las mandíbulas, y quiere mezclarlo con sus lodos y menstruaciones, durante el novilunio y el plenilunio, darle su olor a canela y el gusto cambiante de la boca, uva dulce, uva agria; quiere provocarle lo tenso, lo brillador, ratones rápidos debajo de la piel, quiere que le salte lo inusitado, para que él caiga en abismos y traicione las consignas de sus padres, las retóricas de los maestros, las graves normas que se trazó en momentos de reflexión pura. Con pelo de sierpes y pintura chillona lo sigue, no lo deja que continúe sus retiros, su apartarse sin placeres ni molicies, comiendo sustentos escasos, verduras. ¡Pero debes saber que él usa una piedra en el zapato, un sayal corrompido por costurones, que imagina ser solamente una cabeza sin cuerpo, una cabeza transitando y recogiendo nada más que proverbios y parábolas, significados juiciosos, moralejas, admoniciones, reconvenciones piadosas!"

María Ilíaca se ha puesto de pie, recatada en un decente vestido, detrás de ella se ve un marco de ébano. Escuchó, está hasta la coronilla, lo que para ella son tremendismo y tediosas reiteraciones, y quiere decirle a Flor, "pasemos a otra cosa", y le dice con voz demasiado grave: "Acaso es un respeto exagerado el de esa gente, probablemente necia, que ronda y vive en la cercanía del señor cura y se fuerza en estas palabras: Tiene la cabeza de un romano, hablemos de él sin ánimo de herirlo, lo que opina con lenguaje imperativo lleva más rigor que nuestro albedrío, lo que nos muestra con toda la osadía y estabilidad de las imágenes debe ser para nuestro aprendizaje y recogimiento, pero no hemos descubierto su ritual, tiene la cabeza de un antiguo persa, su grito sacude a los espectadores y oculta el sonido de las campanas, tiene las manos de Daniel entre los leones".

María Ilíaca parada en un pasillo, donde todavía no pasó el señor cura, reflexiona: "Éste es el hombre que cierra la boca y solamente a veces dice palabras tajantes. Un agazapado en la distracción, que si mira, sus ojos son rápidos y nunca imaginé que los fijara, pero a cada momento da la espalda y obliga a una a torcerse para encontrar su pecho, y podría aferrarlo entre mis muslos, reemplazaría a sus muñecos queridos, podría llegar a ser más que ellos. Es un hombre que si abriera la sotana dejaría ver entre gajos unos remolinos de pelos, entonces parecería que fermenta, y él se parece a cueros, botas, guardamontes, está como en una serie pintada amarronada; ¡oh vida sombría!; en mí todo atraviesa velozmente y pienso en su derecho masculino, me expongo a no sé para qué, acostumbro correr hasta su despacho, pero eso no es razonable y lo que hay o empieza a haber entre nosotros puede ser mala fe. Y su estimación a los muñecos..., a esa estimación concurro, sin pedir todavía, sin arrollarlo, pero me causa molestia mi usar del magnetismo, hasta bajar algo el escote para el momento en que él aparece, y me causa diversión".

La vieja Flor camina murmurando: "¿Qué sucede durante mis ausencias? Desde que se abre el día anda ella con algún amuleto prestado y en posturas ambiguas; usará procedimientos para retenerlo, para ligarlo. Sucia venal de muchas argucias, con desarrollo cadencioso juega a patizamba, a ojo de latón, se aplica pestañas, yendo igual que una lagartija entre opacos limones, manzanas y orfebrería para estropear la vida silenciosa. Es una cuba de venenos, es como una extranjera de pésima ralea, que usa trampas y argumentos y vestidos diáfanos, se desmanda con sus dedos de ortigas, ella no puede contenerse; como serpiente que no da tiempo para pensar, serpiente de los corredores, serpiente del pantalón, serpiente debajo de la camisa, serpiente bermeja. Con un pretexto u otro deja ver sus partes, parece que quiere apoyar los senos, comedida que antes se sentó encima de los sargentos y de los señores dueños, y aprendió el oficio con un desertor y quizá con más. Pero también se esconde, se remoja, gallina que estira el pescuezo, alborota con las alas, hace resonar el zinc del galpón, intriga a las otras gallinas".

La vieja Flor pone su cara grande redonda de frente y dice: "El abuso de los placeres es el que tiene un castigo más pronto y doloroso. Miremos el rostro de esta muchacha ya vulgar, ya no digna, tomado en todos sus matices. Es un estado tan atroz. Es una lujuriosa que ha llegado a un grado de embrutecimiento venéreo, se pasa corriendo de un lado a otro, es una hembra que resuella. Cuando baja la cabeza se enternece por una lectura sobre cortesanas en la orilla de un río y aberraciones de amantes y asuntos emparentados, donde se diferencian unas de otras según los suspiros y sonidos. Así ella, toda carne heno, sin arrepentimiento, se pone a pensar qué podría, no respetando la abstinencia de los viernes de Cuaresma y las témporas y las vigilias de Pentecostés, de Todos los Santos. Se va al desván tenebroso donde sus pasiones se estremecen, a eso llama fuga o rapto de seducción; para ser seguida, estrechada por él, que la abrace de la cintura. Y lleva una falda larga de lentejuelas brillantes".

Tormenta de viento sobre la colina de las capillas. Las sacristanas miran defendiendo los ojos con las manos y encogiendo los hombros. Caminan nubes, engendros o nubarrones retorcidos, que hacen formas como de viudas sentadas en la grupa de caballos. Estos borrones se encumbran, van a los campos altos, envuelven las construcciones con tierras, desperdicios. Se pierde la vista de paredes y torres por la tolvanera, pero vuelven a crecer. He aquí la eficacia del viento fuerte: cae de bien arriba el grito de los pájaros, o inoportunos pájaros caen en la cercanía de puertas y ventanas, se agitan y quedan rugosos en el suelo, vuelan atolondradas y rastreras otras aves cenicientas, y en torbellinos miles de mariposas grises. Se oscurecen los terrenos, pero a veces hay deslumbramientos. El agua en los estanques se corrompe de fango, los árboles alborotan los caminos, los frutos se desperdigan, los pastizales se despeinan, hay acumulación de insectos en los hoyos, vuelan y giran unos harapos. Ahora el paisaje es una estampa fina y polvorienta, ya ido el plácido verde del campo, desaparecidos los contornos definidos de las casas, o los decididos semblantes de los cerros; se igualó el lugar, el ajuste del viento pulió las líneas y tonos. Dice la vieja que el viento es bueno para el humor neurasténico de Pedro Lampsaco.

En las capillas, efecto de los humos de polvo que entraron por los visillos de las persianas. Perdieron sus brillos las imágenes. Están sofocadas las cabezas mitradas, las aceiteras herrumbradas, los lirios opacos sobre las melenas, áspera la lengua de la beata Trifenia, muchos detalles desaparecidos en los hundimientos de la sombra. El espacio como agrandado. Las estatuas beatas detenidas acá, allá, deslucidas, parecen más apartadas, sin diferencias las formas masculinas y femeninas; pues el polvo continuo se aplicó, sea en totalidades, sea en bordes o en elementos de sostén, así no hay rastros de las quebraduras ni piernas azafranadas, ni mejillas de cera con los puntos negros de lo que se pudre, ni marcas privilegiadas, y se extendió el color arena en una región de indeterminaciones, en caras apenas mantenidas, donde no se distinguen los reproches y mutaciones. Es decir, sólo se halla limpia una octava parte, quizá una décima parte; se hizo un conjunto de cosas igualadas para esta tarde. Una paz se arrastra por los bultos, interrumpida apenas por los que entran tosiendo.

BARAJAS

En el nuevo día amainó el viento; ahora viene una brisa lacia. Por el aire vaga un monoplano. Distante hay un monte de árboles apretados y unos terrenos cuadrados o cuadrilongos de tonos de verdes que alternan. En la cercanía hay un campo sin resguardos, alisado, y apenas a varas de lejos se halla un hangar con su techo curvo de rayas entintadas irregulares. No era predecible, pero el aeroplano desciende con tino, persistente hace sus rodeos como la bajada de un ave rapaz, se cierne cauteloso, en la hierba produce la sombra de cruz. Hay zumbidos cuando toca dulcemente el suelo, pero echa un viento frenético que hace huir vacas y ovejas. Enseguida rueda dando tumbos discretos, titubeos, vacila, hasta que se detiene. Un hombre de gafas empieza a moverse con vaivenes, a estirarse, alto sobre la carlinga marrón.

Días pasaron, nos perdimos, entre una arquitectura eclesiástica y un cura ceremoniático, y su dichoso conocimiento de las sacristanas, entre las restricciones y las indiferencias, las búsquedas un poco distraídas de María Ilíaca, los temores desagradables de la vieja Flor. Sucesiones que se deshacen cuando un torbellino llega y sorprende. Pues, un señor de nombre Quodvultdeus, quizá un desertor, entra sin medida, sin tropiezo, cantando, un dios joven del que podríamos decir: salta con glúteos metálicos, sus cabellos tiene de alambres, sus brazos son arpones, sus cuchillos pedernales lustrosos, es deportista y corredor de ademanes alarmantes, de color de cobre, envuelto en una nube, envuelto por espirales de tierra, igual que si entrara a la carrera entre toros de cuernos grandes, rompiendo los sueños, haciendo despertar a todos de la flojedad, despertando las intenciones y unas dudosas inquietudes.

La llegada del señor Quodvultdeus. Su cuerpo es elástico, parece hecho de tendones, de una espina dorsal que simboliza la fuerza, de pies seguros. En resumen, con olor de árbol está en un zaguán blanco, a la sombra fresca, esperando, dejó un morral en el piso y mira atrás el lugar de pasto llorón. De lejos se oye una música salvaje y muy antigua llamada La melodía de la higuera. Vienen mujeres bajo el sol con paraguas pardos amplios. Dulces presentimientos alcanzan su mente pero prefiere no cavilar sobre cosas ocurridas: "Ilusiones de la técnica evocadora que quiere desenvolver un calendario desaparecido, de cuando los caminos estaban llenos de voces y serpenteaban, allá, en tiempos de entonces las voces se fueron, las tierras donde hice de las mías descansan, suspendida la aventura, no me detendré en lo que fue, en aquellos enredos y certezas, lo que pasó es ahora una zona honda".

Suceso: el señor Pedro Lampsaco y el señor de anteojos Quodvultdeus se hallan sentados frente a frente, entre ellos está una pequeña mesa taraceada. El aire es tranquilo, los rincones limpios de objetos. Es una escena de interior que podría ser tomada del Semanario Pintoresco, donde dos ociosos parecen inmovilizados, aunque a veces miran el reducido paisaje de una ventana como desmenuzándolo. Nunca se ponen de pie, en algún momento uno entrelaza las manos detrás de su cabeza mientras el otro se toca un antebrazo y sacude poco una pierna. Conversan o aclaran sus gargantas con roncas toses. Puede tratarse de una charla pueblerina entre figurones, una relación sin vínculos claros entre hombres que no se dejan embaucar. Pueden ser agentes de comercio hablando de sus muestrarios. Agricultores en descanso y razonando. Sportsmen descuidados comentando. Dos incorruptibles que no se detienen en lo que dicen. Pero sabemos poco, los oyentes estamos en sesgo, oímos partes de conversación, frases que serían sólo respuestas o acaso palabras inverosímiles. Hacemos conjeturas sobre los secos enunciados que sugieren además desabrimiento, o cierto espesor, una opacidad de trozos imperfectos.

Uno dice: "Me rodean, llevan canastas, lo circunstancial, se mueven a ras del suelo, de estaturas no mayores, echando sus alientos, algunas con verrugas en el rostro rugoso, tratando de hacer enlaces artificiosos, circunloquios. Crece el día y aparecen, pululan, engendran efectos especiales. Tal vez deba poner remedio a semejante estado de cosas, a esa bonetería, cuando de pronto surgen otros y me viene un contento, porque reconozco a los riflemen desenvueltos derribando palomas, si es el caso, matando a perdigonadas las gallinas errantes o fugaces siluetas, bajo el tormento del sol me explican: éstas son unas escopetas de dos tiros de caños de acero Krupp con triple cierre ingenioso Greener, calibre 10, y tenemos fundas reforzadas para guardarlas; más, ponen de relieve, procedentes de reputadas casas europeas, para estos países que se transforman estupendamente de la noche a la mañana. En esas y otras cosas no comparto las moralejas de los que miran consternados con rigor lógico; pero con los riflemen me hallo, les muestro mi cara intensa, más redonda por la risa al lado de las suyas redondas".

Otro está diciendo: "La rastra, ese costillar de hierro, tiende la arena en los senderos, recoge las hojas perdidas otoñales, un regimiento aniquilado, hace ruido en el jardín de atrás. Soy un componedor de relatos cerca de una lumbre, que ha estado en riesgo, en un camino forzado, ¿de qué modo consigo el tono?, recupero sencillamente un vocabulario. Por ejemplo... sería a fines del siglo XVIII cuando el gran molusco murió en los arrecifes, entre los 48° y 50° de latitud, similiores insulae quam bestiae. Yo mismo con mi barba habría descendido una vez sobre el lomo terso, creyendo estar en la tierra exótica no señalada por descuido en los mapas; mi barba hierve cada tanto cuando lo cuento al lado de una lámpara de kerosén, tiembla como si el gran calamar se agitara, igual que en la isla insegura, desfavorable, cercada de azulinos y coronada de auroras, donde cualquiera se aterra porque empiezan los mugidos del kraken, soplador de vapores. Los matices son muchos, deformados y predilectos, según la conciencia popular; el que es narrador muestra los dientes, sonríe, pone demasiado ingenio en creer en sus relatos".

Uno está diciendo: "Me gusta embebecerme, mirando las chimeneas de los techos y los caminos quebrados, o a los que cruzan en intervalos perezosos y oír resonar las calles, o hablar con despreocupados, con un fabricante de jarras, con unos alcahuetes que huelen bien, con unos dedicados a quién sabe qué primicias, humillaciones y daños. Marcan interrupción en el trazo de los días. Tiendo a ir por los arrabales, los traseros de las tiendas, me gustan los fritos de la mañana, los guisos de la noche, la gritería, ¡ea! Simbolizan de otro modo. Cierta gente, por la imaginación y posiciones juiciosas que han tomado, vienen a colgar latones como piernas maltrechas, brazos y tobillos acuosos, pulmones secos o anegados, reticentes pedazos, austeras piezas, y mudos y apurados por algún miedo escrutan los ojos, los augurios, tienen insomnios a causa de las maneras de la suerte o de los malos ratos y tedios. Ellos creen mejor saludar con alguna forma de prestigio, por ejemplo, una risa fija que muestre un diente de oro".

Otro está diciendo: "Porque ella tenía el cuerpo terroso, y personas hacían un vicio del comentario, por cierto aspecto de su carne firme, lisa, buena madera, la señalaban demasiado, había enojo, ¡que la purifiquen! y la quemen con aceite a la que es como un alabastro, y producía un aroma la delgada muchacha por su movimiento blando, sirena cuando se desvanecía la dicha estival. Es triste por eso esperar y que no se hagan las cosas y ver pasar los perros que lo buscan a uno, y es lo habitual no salir hasta la anochecida y aproveché una ocasión para eludirlos, pero fui desabrido con ella, era malo dejar su cuerpo terroso libre; sin embargo ronda todavía en mi almohada su niñería, porque se desvaneció la dicha; y pensarla en el otoño que abrirá sus pasos, de nuevo recuperada, pero después de la ocasión de eludirlos era lo mismo que si siempre los tuviera encima, porque la suerte hizo cabriolas, si no hubo más dicha, equivocados se hacen brumosos los sitios, aumentan los nidos de serpientes y los retumbos, otras mujeres miran la ausencia y no sé si alguien la habrá llevado para deslumbrarla, si ella irá prometida llevada, su mente vuela hacia otro hombre, pero obstinada ronda en mi almohada su risa como recuperada".

Uno está diciendo: "¿Qué despojos reclaman?, son pedidos inciertos, exigentes, aparecen iguales a los reptiles del pequeño matorral o los que andan entre las piedras blancas, con tal sagacidad vienen a mis talones, hacen su penar por la vida; no protejo y protejo, el fastidio me llena de polvos y picazones, sucesión de líneas filosas, contrastes, revelaciones, un cuadro de los días; pero una mujer joven vino, bendición u oportunidad de primer orden, nadie a su altura de belleza. Aunque todavía sigue desgajándose lo de afuera, charcos calentados donde ondulan los lamentos paralelos a los pedidos, son sopa espesa y son como de vehemencia constante, es el tejido de los asiduos que casi sin hablar, apenas por sus alientos de olor a verduras o por su caminar en las posturas de mortificación, privan de algo, injurian tal vez; entonces tuerzo el cuello, me río de ellos porque piden".

Otro está diciendo: "Si de repente se silba, todo resultará bien porque ella aparece, arropada coqueta, atrás de la guirnalda y los bastones de hierro de un balcón, con señas de prepararse y repetir mil veces la escena; viene, se saca los abrigos, suelta los breteles del vestido, muestra los pezones oscuros como su voz, deja nacer todo el cuerpo que el viento va tocando, brisa de la montaña terrosa como ella; sí, entonces brillará el campo y temblará de luces un arroyo, puntos para su paso; si de repente se silba y ella aparece, de silueta erizada, como alas y rayas sobre una colina, las nubes se ensancharán para robar términos, espacios, en un atardecer aligerado, porque ella ríe".

Otro sigue diciendo: "Y sus quejas delicadas o inoportunas, a las cuales uno se acostumbra, pero no responde porque eso sería igual que una redundancia, y la trama de sus ideas, movimiento gradual un poco desarreglado, pero no decía tontería y nombraba las plantas desconocidas, todo lo nombraba, miraba de cara, no se detenía y el contacto de su mano, mano soñadora, era igual que un velo que recorre, tacto sin susto, sin sobresalto, y aferraba de a poco, oprimía algo, se deslizaba hasta la última lisura o porosidad, no rehuía, los objetos parecían inclinarse hacia ella, avanzar negligentes, entregarse, desaparecían entre sus dedos huesudos inteligentes. ¡Ah, no!, así se recuerda, se retrocede hacia los días empolvados ya, más pálidos, incompletos cada vez, débiles imágenes ya, que se zafan semejantes a un brazo oscuro que se suelta".

Uno está pensando: "¡Que diga cosas así!, un cantor no canta bien si en la vida le va mal. ¿Su ausente?, por eso manifiesta a las claras un desconcierto; o estaría hablando de lo que yo hablo, trato de decírselo, él no comprende, no comprende en pocas palabras, porque tiene por la cabeza sólo su lejanía y ahora no oye, mira adonde no puede mirar lo que busca, está in albis, ¿cómo tocar a alguien y no tocarlo?, queda cierto margen, él se pone en alma y vida a decirme, amplía pormenores, que nadie conoce sus fórmulas, que no se siente escuchado y sus palabras empiezan a decaer, palabras que yo lo mismo que los demás oigo por conceder y hasta respondo lo que no corresponde; sin embargo, soy quien le ha expresado lo que él no quiere atender, ni escuchará cambios y adaptaciones porque su sistema es bastante inalterable y él únicamente podría introducir retoques, por eso habla de una cámara de maravillas, revuelve y mezcla sin discriminar lo que su fervor crédulo encuentra durante la pesquisa de la ausente, se pone a imaginarla, risueñamente comenta sobre la figura que aparece en su composición, mientras sus anteojos ocultan las veleidades del estrabismo, contándome y contándose a sí mismo en frases sobre una perdida; puedo ser tan como él hablando, pero sonaría mejor, estaría el sentido más preciso, él lo aprobaría. Pero últimamente dice menos que cuanto dijo antes, no procedió de lo poco a lo más".

Nuevo suceso: el retorno de las sacristanas. La entrada en el lugar donde están los hombres conversando. Sobria habitación en la luz declinante de la tarde. La mujer vieja Flor cierra la puerta con un golpe medido. La joven María Ilíaca algo despeinada gira la cabeza en otra dirección que la de sus piernas, entonces la charnela es el talle, gesto de vengo pero me voy. Cambio de color en la cara de uno de los señores ante lo inconcebible. Quodvultdeus se pone de pie con calambres, deja caer una naranja que, paf, explota en ocho gajos. La escena de la vida rústica de dos hablando apacibles, casi sin ademanes y tal vez sin haber presentido nada, se cambió por el golpe de hacha de la sorpresa. Estuvieron el prolongado tiempo junto a una mesa morisca pequeña, en una conversación de tanteos, sin ocurrencias afortunadas. Pero ahora no se podrá hablar con calma de lo que seguirá. A partir de aquí, no se podrá decir con simpleza acerca de lo que ellos piensan apresuradamente, de los sentimientos que son una cuerda tensa. María Ilíaca, presentable, tiene su vestido de cigaline azul plisado y plumas de ñandú en el ruedo, es una muchacha sacudida, que hace sonar los collares, que, ojos mojados, hubiera deseado obligarse a salir y correr. Quodvultdeus la ha mirado con un calor atormentador. Cinco plumas vuelan un rato entre el hombre y la mujer, ¿por el supuesto aliento llamado amor? Aparece un gato selvático contra una silla, tembloroso. En segundos de nuevo el dibujo del gato contra una ventana.

Una muchacha inenarrable, vino de una manera no esperada. Su angustia, no es tanta ni tan intolerable. Se la ve con pequeñas pinceladas amarillas, como dejadas al azar, sobre su cuerpo. Tiene un collar de cuentas cristalinas de varios tonos de celeste. Cómo mira, con qué avidez. Afuera las landas traen el olor de unas plantas silvestres. Los pájaros están en líneas sobre alambres, algo se escucha de la algarabía de coros discordantes. Entonces ella se acompaña de una guitarra pequeña y canta; su boca, es juego de sombra sobre su boca.

> "Donde el agua no cesa, aunque no estás, también se agita cualquier hierba empujada por el agua, toma las humedades que no puedes tomar, oyendo voces de ese idioma cuya sensualidad no has podido percibir, tomando esos aires, tan subidos, perdida la apreciada y vieja virulencia que ponía sanguíneos tus ojos, el mar se alisó por arte del mismo ecuador, donde no corre la serpiente al costado del buque ni asustan las algas verdosas, una franja se interpone para que venga la noche, y adormilarte entre dos lugares, cuando entonces el buque soltaba sogas, pocos chapoteos, ya con dormidos ojos de pez de abismos, te alejabas, y banderas lánguidas en los mástiles, con apenas crujidos de las jarcias, apenas daba señas de alejamiento un horizonte".

Estancia con dos jugadores de naipes y María Ilíaca sentada en un taburete. La muchacha criolla será adquirida por el ganador, con sus vestidos y baratijas de adorno. Posición de los hombres: están frente a frente y entre ellos hay una mesa morisca sobre la que han puesto un porrón de ginebra Fockink, dos vasos y las cartas que se ofrecen como un conjunto de cartones satinados. Posición de la muchacha cuyo destino dependerá de las jugadas. Se halla alta en un rincón entre grumos de sombra, arrellanada sobre un taburete y apoyada contra la pared, las manos en el regazo. De parte de ellos, observaciones concupiscentes y furtivas de lo que se ve de los muslos de la muchacha, tostados por el sol y de carnes firmes. La otra mujer y su peineta ancha de carey han desaparecido como por ensalmo. Ellos discutieron casi en iguales términos sobre disposiciones para María Ilíaca, sobre los detalles crudos, haciendo pausas de tanto en tanto y hasta hablándose alternativamente al oído. Uno colocó un reloj de cadena gruesa en una repisa. Sin distraerse en más preliminares ahora estudian las cartas que se distribuyeron. Ahora ponen mucha atención, no se mueven, no hablan. Oveja que bala, bocado que pierde. Combate de caballeros que se muestran como personas corpulentas, como grandes nervudos y hasta espinosos, apenas inclinados hacia delante, apenas encorvados. Que aplican unos algoritmos. Prontitud de las operaciones, perspicacias, audacia de cada solución. Singulares poderes para teorizar; cada uno se empeña silencioso en explicaciones para sí mismo. Mientras un aire de afuera penetra con olor de pasto y apagado ruido de los bichos zumbadores. Los jugadores están igual que en un insomnio calenturiento; beben tragos; los dientes del enemigo enfrente. A cada momento la partida habría terminado, pero los naipes traen nueva suerte al que creía perder y la incertidumbre recomienza. Oscila la lucha, tretas de tahúr y malicias se combinan con ansiedad, se atisba, por motivos se esperan otros aspectos, otras cartas, alguna buena repetición.

Presencias: hilera errática de los naipes, célebre porrón y vasos, plumas de ñandú ya hace tiempo en el suelo, las cabezas despeinadas enrojecidas por unos efectos de la luz. También los latidos del corazón de la muchacha, ya menos atrevida, algo lejana en un ángulo del cuarto grande. Esos hombres le han puesto los ojos encima y ella los perdona. Luego de los muchos anteriores fastidios, este fastidio no es nada. Es una escena eventual que la pone por momentos perpleja, pero de modo limitado. Son cosas que se hacen de buena fe; trata de decírselo a sí misma, de imaginarlo en más de un sentido; mirando de tanto en tanto las nubes nacaradas que se asoman, cuelgan y después pasan por la ventana abandonando unas colas finas. Acaso está con ganas de tocar en el hombro a los jugadores, de pedirles que bailen con ella, sin método ni música, para que ella no siga confinada sobre el taburete, ya cansada, pero tratada de este modo por ser de valor comercial, puesto que aquí o en cercanías no hay nadie que se le pueda comparar por su gracia, nadie sin broma. Y pensándolo, pone sus manos en su cintura, apuesta, como para enfrentar a un hombre, pero después de todo bastante quieta y con las piernas cruzadas o sueltas, sabiéndose lo linda que es.

Durante la competencia, los dedos de los jugadores, más bien gruesos, parecen mezclarse mucho con los cartones de reverso lechoso, deslizables, cuando empieza lo duro del juego. Ellos están en el lugar que se va asemejando a una posada dormida, donde los actos son apenas refunfuños, apenas algún estirarse el cuerpo o parte de él, alguna vez un dejar de encorvarse, mientras la muchacha también se encarama en forma diferente y termina sentándose sobre sus propios talones, siempre encima del taburete, porque se esfuerza en mirar las barajas que traídas seguramente de Andalucía, están iluminadas igual que los manuscritos viejos, hermosos, y no son balbuceos del arte y desarrollan temas de cuatro símbolos, el de los eclesiásticos, el de los nobles, el de las transacciones y el de la agricultura. Suele decirse que la baraja está prohi-bida a las mujeres, pero ella a fuerza de alargarse ve que los ases son muchachos entre rama y volutas, que hembras en lugar de varones montan los palafrenes, Argina con dominio de amarillos, Raquel con dominio de rosas, Palas con lanza, Judit con alfanje; que los jugadores enérgicos tiran las cartas al lado de la botella descorchada, y tumban escuderos nombrados como héroes de la historia y reyes de colores ardientes, figuras ligeras de Ogier, La Hire, Lanzarote y Héctor, figuras pesadas de David el arpista circundado por la estructura de una iglesia, de Alejandro el guerrero circundado por armas antiguas, de César con laureles, de Carlomagno con hacha, números y personajes juntándose, combinándose para la reflexión, o para llegar a una conjetura, para mantenerse en esas líneas sinuosas que ella no entiende aun tomándose tiempo. Acaso un jugador está en el umbral de descubrimientos y ayudado por el azar tiene más datos de los que podría soñar, o se ha metido en el arrollador camino de los errores. ¿Y las predicciones y el buen agüero y el celeste favor? Puede todo alterarse, algo nefasto caer sobre él y abrumarlo, lo adverso, un barro, un estiércol, sí, caerían ranas, anguilas, cangrejos ermitaños negros, montón de animales.

Monólogo interior de María Ilíaca introducido en medio de la acción. "La ventana tiene ese gato suave y otra vez en La casa de placer de la playa, un gato estuvo ronroneando unido a mi tobillo; ahora ellos se entretienen con las barajas pegajosas, tienen pantalones redondos, camisas amplias y se hallan ensimismados, cuando podría vacilar el taburete y yo caer en brazos de uno. El ganador me besará, que sea benigno y exprese toda una ternura, ¿qué podré decir volcada hacia él pero melancólica? Se me cuelgan unas visiones, evoco el campo terregoso y el de pastizales, nuestro reciente ir bajo el sol con un paraguas amplio, enseguida cuelgan otras visiones, caras sostenidas en un jardín, detalles que se estampan igual que las flores de una tela, vuelven párrafos en la media tarde, gritos alegres como distantes, desde donde crece la enamorada del muro, desde donde hay casas encaladas y holgazanas en unos miradores, o arrimadas a zaguanes. Qué hubiera podido ser la vida de haber quedado el hombre de anteojos a mi lado, de no haberse ido. Recuerdo la mochila y el escudo postal esmaltado, las cosas que dejó, y me inventé después un sueño, a hurtadillas, poca cosa, un sueño de reflejos, un oleaje de anhelos, luché contra su desaparición, volvía a suponerlo en los espacios vacíos, en las arenas, pero mi enojo cerraba el paso a cada madrugada, porque me acosaban vientos sin rienda en aquella costa de acantilados y gargantas."

"Registro de recuerdos: ¡ah!, después de la sensación viene siempre el pensamiento. Cuando los patinadores hacían sus correrías no sin peligros, cuando las barcas empavesadas invitaban a los bañistas para las excursiones marítimas, si a él miraba, intensamente me decía: la naturaleza y las artes han formado a mi apuesto joven. En los días ávidos soñé tener un niño de él. En el tiempo descuidado hacía como las mujeres que antes de hacer el amor mandan niños para que besen a su hombre. ¡Cuántas veces estuve despojada por él!, un vestido caído al lado de mis pies; no había otra cosa sino el gozar; nos hallábamos en la cama oculta por cortinas de indiana, yo como araña que lo desborda, él como hábil señor. La memoria tiene dibujos huidizos, de escalinatas con faroles sostenidos por ángeles africanos, de mujeres desenvueltas o perversas, de cejas oscuras, de los brazos opulentos, de los espejos enloquecidos."

"Lamentaciones eran mis historias de perder a uno y de llegar a otro. Entonces me enrojecía y penaba por pedir con humildad otro oficio, y era asunto de que el conjunto de los dueños aceptara, y padecer y acatar. Así hasta el momento en que me encontré caminando hacia aquí, al lado de una mujer que es una suegra o una transformada, y comparadas yo era pusilánime. Del festín de ranas al festín de sapos. Podría narrar, había una vez dos mujeres que creían estar para siempre en una hacienda, pero un día salieron llevando valijas gastadas y atadas con cuerda; no eran suerteras ni dichosas, ni se cuidaban ni se advertían y fueron a un pueblo encaramado, hasta una corta explanada con dos capillas y prodigioso vino un hombre cejudo que las llevó, les dijo las costumbres y les dio los lugares. Aprendimos sobre lo que teníamos que hacer y trabajar. Ese hombre o señor cura tenía por costumbre sorprendernos, pero nunca intentó subir a nuestras camas, no le seríamos simpáticas, nos miraba aviesamente, entonces el agua, las plantas, las paredes quemaban, salpicaban calor, había curiosos acercamientos, cuando una se ponía a imaginar él recuperaba forma de animales desagradables, anhelosos. Sí, donde nos instalábamos, él pasaba y sucedía un silencio de desvelo, como prólogo de algo que iba a pasar. A veces era espesa su ostentación, entonces los diálogos se volvían secos, igual que golpes, y los temas resultaban de lo más inmateriales y repetidos, no se podía traducir ni un pedazo de su alma; y yo empezar a tener padecimientos en el dormitorio por cualquier sombra humilde, por palabras que me sobrevenían insensatas pero rotundas, o empezar a descubrir lo colorido, algo de mis pechos entre la puntilla, un cambio tímido en mi cara, o un imaginariamente decirle, señor cura, usted me tendrá sin resistencia, hasta que me agote, pero no me torture ni sobrecoja como ahora. Pero siguió por tragaluces y resquicios, hasta que en este momento se ha desenmascarado con toda la fuerza masculina, se mostró cuando vino el otro."

"En el último mes de calor, el desertor que me abandonó y el cura que me elude están jugando a la baraja la posesión de mi cuerpo. Y no hay nada de particular, si tienen ese gusto, si lo hacen con no sé qué humor, como usando una antigua costumbre de no cortar en seco la discusión, una prerrogativa que tiene algo de desdén, tal vez un acto modernista semejante al de ciertas comunidades, pero que me hace entristecer de sólo suponer la pena y angustias del que se retire cuando sea perdedor. Y para el que gane, tendré ocasión de lucirme y su diversión no será escasa o mímica y se va a conmover y llegaré al orgullo de por fin tener un hombre y montarlo, venturosa de sensaciones de niña, para probar que sea de madera, igual que goma de bocina, de cuero su cuerpo, y daré vueltas y revueltas con él, en silencios, en soledades, o suponiendo espectadores de un teatro para nuestros movimientos armoniosos y románticos, con todo género de emociones, hasta violentas, porque eso es justo después de mis paciencias, de mis esperanzas sin sentido entre otros hombres, que me obligaban mal, me empujaban mal, y era yo una muchacha que gemía durante la noche. Pero ahora quiero ser como una niña a horcajadas en un muslo fuerte, conversadora con ecos, y lo demás sin moderación."

Después de las maldiciones, frecuentes en los jugadores, se termina de este modo la partida. Han dejado la mesa baja, un vaso está volcado, un hombre tiene a María Ilíaca por la nuca y va alegre halando a la muchacha mientras hace bromas y manosea; después la arrima a su izquierda para decirle en la oreja palabras maliciosas o de vergüenza, y ella se echa un poco para atrás, esperando inquieta, porque además a veces le levanta la falda o es apretada, entonces la muchacha se apoya pasiva, caída de hombros, está tibia y quebrándose los dedos, ya después tendrá que besar entregada, turbación por ahora, está en manos del experimentado, se diría, envuelta en papeles, arracimada, las mejillas jabonadas, una muñeca japonesa o turca, de infinitos recursos, haciendo gestos, es el regalo que él pasea, ella hace una resistencia invisible, enseguida arrastrada por la oreja, de una manera impersonal recibe órdenes imperiosas, tendrá que realizarlas, siendo para el hombre nada más que una chica llevando vestido adherente. Entonces, al otro hombre le parece muy bonita esa mujer tan joven que levanta los brazos, una manera de súplica, y pronto la ve empujada por los corredores, obligada después, por las escaleras y azoteas, y muchos toqueteos. Ésta es la ridícula salida.

Puesto que los pasillos son iguales a cámaras sonoras, probablemente las sílabas que lance María Ilíaca, que se va llevada, suenen, restallen, pifien; y el perdedor crea que escucha más bien una gritería, tal como: "¡No deje señor que el malo me tenga, mi corazón palpita, porque soy una supertonta, no me deje con él, socorro, no quiero reflexionar sobre lo sucedido, ni cuánto tiempo he de permanecer, nada evitará que me sacuda, pues no entiende mi sentimiento, traduce a lenguaje común la fineza, es oscuro y primitivo, se realza con sus gestos indecentes! ¡Lagrimeo, tengo un vestido de lluvias, y lo que él quiere, no, no me gusta hacerlo, no entiendo qué intenta, ojalá me alcance la paciencia, sólo muy poco a poco podré! ¡Dios mío, no me va a respetar, hará conmigo lo que no soporto, tendré que amarlo sin objeciones, estar lista para que empiece la farsa y para oír su descripción menuda y fría de los pormenores, y habrá de probar a fondo, me hará exámenes detallistas, eso es todavía más irrisión! ¡Zácate, en secretos diré, por favor que es usted genial, en lenguaje figurado es un gallo de metal, oh, sus vibraciones lesionarán mis órganos!".

Un perdedor camina solitario, mientras se opaca hasta la negrura el cielo, aunque a veces hay relámpagos fortuitos y truenos en unos bloques de espesura. Más lejos, en callejones del pueblo, se producen roncas voces. Y él pasa al lado de los cuerpos pálidos de una fábrica, de las casas con máquinas, ruedas y sombras sin chirriar. Por unos senderos andan unos hombres, casi flotando, apartando malezas con bastones, entre los destellos del cielo. Noche que para él amenaza ser pésima, boyando su cráneo crujiente por las ideas, de ojos extraviados y desprolijos, enmudecido y muerto de ganas secretas. Mientras por el suelo tosco se engendran mezclas de calor y brisas. "Haber borrado errores", piensa: "Tenía por cierto que defendía un rey, una sota, dos palafrenes y terminaba de una vez con ese tipo, mas ahora, no persuadido, marcho rugiente, alma que sale en tiempo de borrasca, triturando terrones con las suelas de mis zapatos, ambulando y también sentado violento, ¿quién creería en mi derrota?, ni repitiendo tres veces el desecho de relato, ni repitiendo aclaratorias y explicaciones, nunca de nunca".

El perdedor habla para sí: "Qué sufrimiento salvaje e imaginativo; él en un primer gesto apretó el cuerpo caliente de María Ilíaca, y hacía burlas porque mirando hacia atrás me veía pasmado, y como llevando una comida de medianoche y la ginebra, avanzó trechos topándola inclemente, gozándose, su camisa bastante desprendida, en tanto yo quedaba detenido en mis presunciones, todo un desarrollo narrativo. Ahora no puedo contener una exposición imaginaria de unas escenas sin pudor que se producirán. Es una María Ilíaca arreglándose el cabello que pasea los ojos suplicantes por el rostro del hombre, pero obligada se acuesta, se hunde sobre cojines que rumorean y boca abajo, mortificada, levanta mucho su falda, haciendo empinado el traste, corre hacia abajo con ambas manos la bombacha blanca, volviendo un poco la cabeza para ver como él la observa, sin saber interpretar, y el hombre que también le baja las medias blancas que le llegaban hasta la mitad de los muslos, por dos o tres veces la palmea, parece estudiar, acaso devorar esas nalgas ardientes mientras ella pregunta débil y lamentosa sobre qué le hará".

"O una María Ilíaca arrodillada y con nerviosos movimientos de sus dedos largos, huesudos y con la posición de los mismos para grabar dibujos, cuando paso a paso desabrocha el pantalón del hombre, abriendo y por el agujero libre trata de ver, busca allí al errante en varios sentidos, saca de allí un sexo dominante, enorme para ella, y abre las manos tal como las indígenas que obtienen el oro y arrojan la arena al viento, tal como se separa el trigo de las impurezas, y cuando lo lleva contra su mejilla, se dispone inocente en actitud pensativa y lo acaricia con esos dedos largos y más bien huesudos y hasta lo besa con sus labios que son dos guindas. O una María Ilíaca erguida que dócil se quita la blusa y desnuda hasta la cintura, colocada de perfil tiene atrás una ventana enmarcada por ladrillos a la vista, adonde asoman los allegados para una consulta no concreta, que forman un verdadero círculo de retratos de propietarios ricos de la época, entre facetas geométricas; y su seno de perfil en una luz tierna, henchido y agudo con una tonalidad descollada y el pezón que apunta de frescor naturalista. O María Ilíaca que inclina la cabeza y ya se toma la melena, la separa en crenchas, entonces se ve su nuca, el suave canal del cuello, porque en esta posición tiene que decir frases amorosas o humillantes y sin templanza; demorada por él, propicia cada vez, representable de una sola pieza, afuera, sobre un carro, acaso al lado de un naranjo, puedo pensar que ella sufre lo indecible y por eso aprieta en la mano unos guijarros lisos."

El vencedor mirando el sexo de María Ilíaca. En un cuarto donde la luz cae de modo que los elementos parecen pintados al temple sobre tabla. De una pared cuelga un grabado que representa el furioso ataque de la caballería confederada. El vencedor tiene la cara vivaz, encendida, rodeada de barba joven, sus anteojos brillan semejantes a los sables de la caballería, las puntas de sus dedos queman. Cuando ella sólo lleva puesta una camiseta blanca y no le cubre el ombligo, y así se acostó de espalda, con los muslos libres tersos que separados dejan ver el pudendum, que es un jardín con maleza. Cuando ella no debe levantar enaguas porque sólo tiene puesta una camiseta, y echa las manos a la cabeza, siente abajo la precisa insistencia de otras manos, igual que tocada por un animal. Cuando el motivo predilecto de ver, para él contiene la aventura, la concupiscencia de detenerse en el cerro pubiano, donde está el predominio de los pelos arrollados y que vigila hacia atrás el valle de las formaciones labiales, lugar no monótono, un dulce lecho, y después los pelos se hacen ralos sobre esos pliegues cutáneos que sobresalen, pero enzanjonados por dentro de los surcos genitocrurales, que guardan un ámbito virtual, calle de seda. Cuando el empeño de abrir descubre una estrecha intimidad, la horquilla y la navecita y labios pequeños que flotan libremente y el clítoris, y las carúnculas himeneales alrededor del ostium oscuro.

Dice el proverbio que los espectadores son locos. Y no se espere que este breve escrito refleje los placeres que se encuentran al contemplar la parte sexual de una muchacha, antes de revolcarse con ella y que gima y perseguir su cuerpo.

Pues la mirada del vencedor es el primer recurso de la profanación, tal vez así para siempre asegura la sujeción sobre ella, el aumento del dominio, su voluntad o capricho constante. E inexplicable es la extensión de las imaginaciones. Allí están los colores preparados con líquidos glutinosos y calientes, el rosa dentro y el melado en la piel, habano donde se hacen sombras, negros los pelos. Qué raro es visto ese lugar cortado con el arte de la ojiva, donde cada jamba tiene dos vertientes encontradas en el borde que es un río luciente. Labios mayores que son adargas casi juntas. Y en los flancos las matas serían más bien ringleras de helechos arborescentes, después escasas hacia las hondonadas exteriores que separan de las imponentes columnas de los muslos. Y la ventana de arco quebrado tiene en la quebradura la piedra clava, o remate eréctil. Entonces de quien mira, lo que inunda su garganta de sed no es el arco y jambaje, sino el hueco, nave de ceremonia o vaso decorado con las ondulaciones, médanos vivos y móviles, febriles y temblantes; acaso una hendidura acogedora donde la sensación se hunde entre piedras blandas, que rebozan y se zafan, membrana de tonos anaranjados en la entrada vaginal, de la que no se sabe cada vez cuál es la estrechez y el abrazo, que conduce al sentido recóndito, a las paredes hondas cuyo terciopelo está para recibir latidos, y la simiente fértil. Dibujos para el hombre entusiasmado, observador de ese paisaje de nieblas y pastos altos, ese tajo de mujer desflorada, con los pliegues gemelos recogidos o desplegados.

"¡Hum!", exclama el vencedor; porque en la poseída que sale de la tierra, cuando caen las hojas, aparece la piel de loba, una habilidad con que la naturaleza femenina disimula aquello que viene a ser precioso monte serrano, hasta el suceso de aparecer un abra, cuando esa pelambre es el síntoma de la alegría, y a él con un golpe de vista en lo sedoso a través de lo cual con nuevo arte se alcanza la herida no sosegada, el sitio abarrancado, no le sobra tiempo de ver, esa sima que custodian dos lagartos empezando a despertarse y tiende a ver el soñador escamas en la entrada, irisaciones que revelan unas lagunas salitrosas, coral rubrum en la gruta, huerta circundada por paredes de adobe, una ribera adonde empieza un ámbito envidiado por los hacedores de nidos, donde se presume el árbol de la vida grabado en roca vinosa, igual a un ritmo de una droga, cuya rugosidad es tacto de los dedos sobre los dedos, relieve que es guía de los peces lechosos; cuando todavía su destreza no se enredó en el bosque enrulado, no tocó la ojiva de los saurios, no entró en el sendero, ni remontó hasta el árbol único; y cuando así aparece el lugar de atravesar, ella está silenciosa y encendida, los ojos perdidos ya y aparta más los muslos, ahonda la respiración; porque las venas del vencedor laten desbocadas en el límite, y mirando no se cree él a sí mismo, por lo cual exclama, "¡hum!"

Sucesión de frases para una composición con un hombre y una mujer. Bajo el encabezamiento general se incluye: el fluir uniforme, símiles visuales, estudio de formas, diseños tortuosos y arteros, alguna breve repetición. Para preparar una serie de objetos, clases y subclases. Flexibilidad de las observaciones que se hacen sin descuidar el virtuosismo. Nitidez del lugar que se mira. Aires calientes y envoltura de nubes. Unas láminas que se van acariciando y cubren elementos simplificados. Por un instinto sutil de reducir detalles y el parecido con lo real. En un juego de curvas ingenioso se muestra, a un joven presidente policromado y a una joven que ha de salir del suelo. Un desnudo femenino, una famosa autómata cuya piel es como natural. Interrupción por el humo de una colina. El joven escucha otorgando, ella estaría profiriendo, "me haces cabalgar, pues esperaba la felicidad, ¡oh, cuánto amo tu ley!". Igual a una fanática en sus opiniones. Conjunción de motivos donde él es un supuesto protector y ella misma le revela un ánimo. Representan, siguiendo una cosa a otra, la firme resolución, las partes exteriores del carácter. Imágenes traducidas por nuestra mentalidad. Que son tal vez anticipación de las nupcias. Que no pueden medirse con reglas ni pesarse en balanzas. Quedamos en silencio, asombrados ante las analogías.

Descripción de un hombre y una mujer. Que tienen el cuerpo de frente, pero las cabezas están de perfil pues se miran. El hombre joven sólo lleva puestos calzoncillos de tela gruesa y dibujo cuadriculado que le llegan hasta cerca de las rodillas. Tiene una banda que le cruza el pecho con el nombre, Quodvultdeus. Parece guardar su tranquilidad de espíritu, quizás está como alguien que lleva a su mujer a un sitio para corregirla. Franquea un torrente, figura sostener en la mano una pértiga. De su boca salen estas palabras: "Ave vistosa". "Estoy llagada de amor": son las palabras que salen de la boca de la mujer joven. Ella figura de dimensión algo menor y tiene ocultos los senos y el pubis por dos rectángulos rígidos de tela gruesa y dibujo cuadriculado. Tiene una banda que le cruza el pecho con el nombre, María Quodvultdea. En la parte superior, sobre los personajes hay nubes ovaladas aguaceras. En el espacio inferior, contra la superficie pulida del fondo se ve un discreto paisaje formado por torrentes, praderas, lejanas arquitecturas torreadas y una quebradura entre dos montañas cónicas iguales pintadas de ocre.

Desordenado encuentro de Honorata Pelagia y María Ilíaca en la noche estrellada. A horcajadas sobre mulas negras relucientes que tienen belfos con espumas y echan por las narices humos. Honorata Pelagia lleva puesto un vestido bermejo con lunares blancos, sus piernas desnudas aprietan los flancos del animal. María Ilíaca lleva puesto un vestido color de canela, da palmadas al animal y balancea sus piernas desnudas. Sin cuidarse salen de la maleza y de franjas terrosas; irán a calles empedradas de granito, donde unos paseantes andan semiocultos, o a un camino que finge desaparecer, en parte enlodado, detrás de plantas selváticas, carretones, refugios y ruinas. Lanzando miradas las dos ríen, sus dientes son blancos, blanquísimos.

ÍNDICE